養生
防癌抗癌食譜

曹又方與你分享抗癌成功的飲食經驗

曹又方 · 郭月英　著

前言：養生‧防癌‧抗癌的飲食 ⋯⋯ 008

Part1 飲料15道

Part2 粥品10道

Part3 湯類25道

Part4 菜餚40道

contents │ 養生防癌抗癌食譜

Part5 麵、飯15道

養生・防癌・抗癌的飲食

採行預防醫療最聰明

癌症，自1981年起，已經連續21年在台灣成為十大死因榜首！

癌症的形成是由數種致癌基因的活化，或者數種抑癌基因的功能喪失，互為因果累積而成。正常細胞發生改變往往只要一、二天的時間就成為癌的初始細胞，接著還需要十年以上的催化，才成為癌的前期細胞；之後，尚需數年才會演變為癌細胞。因此，我們可以大膽假設每個人，尤其是四十歲以上的人，體內都已存在著不少癌的初始細胞、前期細胞，甚至癌細胞了。只是我們根本不知道它們存在，也沒有發現而已。

癌細胞開始分裂後，10代時尚小，20代時則約為0.1公分，30代時也不過1公分，40代時則迅速長大至10公分左右。糟糕的是，通常癌腫瘤約要在1公分的時候才能被檢測出來，而這時卻已嫌太遲了。因為1公分的癌腫瘤大約有10億個癌細胞了！

人們常常說的「早期發現，早期治療」，雖然多少也可以延長癌症病人的存活期，甚至尚有微少的治癒機會，但是，在發展和注重預防醫療的今天，能夠預防、延緩甚至杜絕癌症的發生，才能說是更為實際和重要的策略。

預防勝於治療！在預防醫療的領域中，提升人體本身的免疫力以形成天生的防禦系統，來預防癌細胞的增生及蔓延，這種防患於未然的免疫療法，可以大大降低罹癌的機率。

飲食與癌症大有關聯

儘管癌症發生的原因很多，飲食習慣卻是其中至為重要的一環。食物與癌症的相關性實在太密切了，因為70％的癌症與飲食習慣有直接和間接關係。所謂的病從口入，飲食與營養對於健康攸關緊要。維護健康，一定要從日常的飲食做起，不要等到疾病發生之後，再來亡羊補牢。

古希臘的醫學大師希波克拉提斯早已揭示：你的食物就是你的醫藥。

然而現代人卻背道而馳，努力發展和運用的是化學藥品，輕易揚棄了透過自然飲食來預防疾病的營養免疫方法。何況，藥補不如食補，重醫藥而輕食物是捨本逐末。

世界癌症基金會與美國科學院的癌症研究中心，曾經在「食物、營養及癌症的預防——全球性的發展」報告中指出，**世界上有40％的癌症病例，直接與飲食的選擇有關**。同時，癌症死者有三分之一是由於飲食不當。倘使病患能夠**採取正確飲食，並維持一定體重，癌症病亡可以降低至30％～40％**。

飲食，對於健康的人預防癌症萬分重要；然而，對於癌症病患而言，簡直就是救命還魂丹了！

由於癌症病人身體的基礎代謝率不降反增，再加上修補組織、抵抗感染，因此比一般正常人更需要一倍半到兩倍的營養。何況營養狀況不佳，不僅免疫力降低，癌症復發機率也會增大。然而，癌症病患的危機卻在於手術、化療、放療、心理和情緒種種因素，造成了進食量大減。

慶幸的是，我在罹患末期癌症之初，便能警醒到飲食和增加體重的必要性，從鬼門關救回自己一命。可哀的是，卻有不少癌症患者及其家屬，誤認癌症病人不能營養太好，以免將腫瘤養大了。其實，這是荒謬之至！

數字已然說明，有高比例的癌症患者，因為營養極度不良所引起的併發症致命。我們可以見到癌症末期病人多半飲食不當或因厭食而變得骨瘦如柴、形容枯槁、貧血憔悴……，這便是因為癌症病人會分泌的致瘦素（Cachectins），所造成了惡病質（Cachexia）使然。

如何才是均衡飲食之道

　　既然預防癌症和對抗癌症均首重飲食，那麼我們就從基礎免疫營養學的觀念著手，來採取正確均衡的飲食之道。能夠針對五大類食品的醣類、蛋白質、脂肪、維生素、礦物質做適量的調配，並且儘量運用防癌和抗癌的食材。還要使用正確的烹調方式，才能達到營養均衡健康飲食的目標。

　　就飲食習慣而言，**醫界認為偏肉食、肥胖、膽固醇過高者，與大腸癌、前列腺癌相關。低纖飲食並有便秘宿疾者，與腸癌有關。缺乏維生素，則與呼吸道上皮細胞癌、食道癌、胃癌有關。經常飲酒或喝高熱濃茶的人，罹癌機率比一般人高出許多。愛吃燒烤、煙燻、油炸、醃漬食物的人，與胃癌及腸癌相連。至於食品添加物亞硝酸鹽，易引起食道癌和胃癌，食物污染的黃麴毒素則會導致肝癌。**

　　食物的攝取有一個重要的通則，便是均衡的營養，每天最好能攝取35種不同的食物。另外，便是選擇天然新鮮的食物，多種蔬菜和水果一起吃最健康。而且要把握盛產期，避免低產期的農作物。加工食品盡量少吃，例如肉類製品、醃漬食物和醬菜，多含防腐劑及其他有毒物質，且含鈉量過高。臘肉、火腿、香腸含有硝酸胺，不如採用新鮮肉類。腐乳、臭豆腐會產生黃麴毒素，自應避免。

　　醣類方面，由於碳水化合物是主食，應占每日總量50～55％，宜採用營養價值較高的糙米、

胚芽米和五穀雜糧。全穀類不僅具有治療能力，平衡體質，且富含高纖，可以清除腸道。

蛋白質的攝取十分重要，因為它不像醣類和脂肪可以轉化和貯存，因此不可一日或缺，應占每日總量的15～20％。蛋白質的來源多在魚類、肉類、乳類、蛋類、豆類之中，並且植物性蛋白質較動物性蛋白質更易吸收。通常生物愈小，蛋白愈好，小魚小蝦是不錯的選擇。由於構成蛋白質的胺基酸有八種無法由人體合成，而必須由食物中獲得，特別要懂得搭配調理。再者，必須提醒的一點，由於蛋白質不能貯存，多吃有害無益。腸道內的胺基酸在腸道內被催化，會產生致癌物質，並幫助腫瘤成長。

說到脂肪，是現代人的飲食大忌，一般人常超出每日正常攝取量的15～20％。這不僅會造成體重暴增及肥胖，也會增加內源性致癌物，以及類固醇荷爾蒙和腸道內的膽酸。**超量的動情激素和雄性激素，與乳癌、子宮內膜癌、卵巢癌、攝護腺癌、胰臟癌、大腸癌都密切相關。至於膽酸，則會衍生和加速大腸直腸癌。**

做為癌症患者，在體重大量流失的初期，我雖採用高蛋白質低脂肪的政策，但是，脂肪對於重建身體、器官、髮膚仍屬必須。

至於維生素中的A、B群、C、D、E、K等，大多蘊含在各種不同的新鮮蔬果之中。**維生素A和C特別具有抗氧化作用，不但可以中和食物中的致癌物，並可消除健康大敵——自由基（Free Radicals），它也是發生癌症的主要元兇。維生素A甚至能夠引導癌前細胞及癌細胞走向良性分化，具有防癌的作用。**富含各種維生素的深綠色和紅橙黃色蔬果，特別值得推薦。葉綠素能夠補血且能抗癌，而且豐富的纖維素更是腸道的清道夫，減低致癌機率。同時富含硒的纖維素，尚能抑制癌細胞的成長。這對於口腔癌、鼻咽癌、直腸癌、肝癌尤其具有防護效果。

礦物質佔人體重量的4％，骨骼中最多。人體內存在20多種礦物質，有14種為必需。病後，我才發現許多微量元素的缺少，都會導致身體失序失衡。手術後，鄭安里醫師曾要我加強補充鐵質。孫安迪醫師叮嚀我補充鋅。此外，鈣片也是許多人的保健品。最為重要的是細胞中的鉀、鈉比值，要努力維持鉀高鈉低，才能減緩老化、降血壓、防癌症。健康人一般每日攝取5公克的鈉已足夠，但是一般人都平均為13.5公克。要注意多食蔬果，少吃魚肉，口味且不要太重太鹹，維持身體的弱鹼性，才是防癌之道。這對於口腔癌、鼻咽癌、直腸癌、肝癌尤其具有防護效果。

抗癌食物排行榜

在談完五種營養素之後，在這兒提示一些特別具有抗癌效果的超級聖品。

首先，近年來最火紅的番茄，曾被時代雜誌（Times）評為十大最佳食品第一名。由於番茄中的茄紅素（Lycopene）是超強的抗氧化劑，在臨床上，也被證實具有抗癌和防癌作用。**番茄對於防止乳癌、子宮頸癌、攝護腺癌、結腸癌特別有效**。但是，有一點要注意是茄紅素為脂溶性，與油脂一起烹調較易吸收。同時，茄紅素屬於胡蘿蔔素家族中的一員，只是多兩個不飽和鍵，掃除自由基的能力比 β 胡蘿蔔素強兩倍。它的近親，西瓜、紅葡萄柚、葡萄等屬於紅色果肉的也含有茄紅素。

另外一項超級抗癌食物是青花椰菜芽。根據美國約翰霍普金斯大學的研究指出，**青花椰菜芽中有一種成分異硫氰酸鹽（Isothiocyanates），高出青花椰菜30～50倍。神奇的是這種物質，可以刺激催生大量的人體中的天然去毒酵素**。而且，只要攝取一盎司，就等同於食用兩磅青花椰菜，或是十字花科的蔬菜。

接下來要談的是豆中之王——大豆，它富含優質蛋白，而且是食物中唯一具備完全胺基酸的食

物。不僅如此，**大豆尚蘊藏五種以上的抗癌物質，其中只有大豆才有的飴黃素，以及女性荷爾蒙，可以防治乳腺癌、攝護腺癌、直腸癌和結腸癌**。十分幸運的，我酷愛大豆及各種大豆製品，如豆腐、凍豆腐、豆乾、豆皮、味噌等。至於豆漿，實為中國人的牛奶，好處是豆漿中含有的是寡糖，可以100％吸收，而牛奶中的乳糖，大多數的黃種人無法吸收。

說到綠茶，也許它要在所有的飲料中奪魁。首先，**綠茶中的茶多酚類化合物具有抗癌作用，可以防止癌細胞分裂**。此外，綠茶中的氟，可以健齒；綠茶中的丹寧，可以提高血管韌性，防止腦溢血。

接下來要談的是葡萄籽油。食用油對於健康產生關鍵性的影響，卻素為人們所忽略，在這兒我對葡萄籽油要做強力推薦。由於葡萄籽的主要成分是低聚原花色素（Oligomeric Proanthocyanidin），簡稱OPC，同時並含有多種有機酸，形成了就目前所知最具威力的天然抗氧化劑。其抗氧化力是維生素C的20倍，維生素E的50倍。由於人體無法製造，存在於蔬果皮與籽中，葡萄籽不宜直接食用，因此只能採用淬煉的葡萄籽油了。食用葡萄籽油的目的是在不斷補充抗氧化物，來抵抗大量產生的自由基。因為自由基會侵害細胞中控製遺傳的DNA，因而導致細胞發生突變而致癌。

順便在此一提的是，飲水和食油一樣重要。水質不佳，有損腎臟、膀胱和胃的健康與功

能。安裝濾水器或購買潔淨的飲用水實屬必要。

　　緊接著要談的是海藻，其中包含紫菜、海帶、綠藻、螺旋藻、馬尾藻等，分別呈現紅、綠、褐、藍的色澤。海藻富含β胡蘿蔔素、維生素B1・B2、鈣、鐵、鉀、鋅、銅、碘等等，尚有葉綠素、海藻酸、胺基乙磺酸等，這些對人體都具有各種保健作用，有些質素也具有抗癌作用。

　　在這些藻類之中，特別要推薦的是螺旋藻，也稱為藍藻，它是超級的抗氧化劑，而且蛋白質、維生素、礦物質、葉綠素、葉紅素、核酸含量高於一切食物。**不僅可以增強人體T細胞、自然殺手細胞、巨噬細胞，而且對癌細胞具有攻擊力和抵抗力，能夠提高人體對細菌和病毒的免疫力。**同時，由於螺旋藻的細胞壁很薄，利於人體吸收，適合男女老幼各種年齡層的人食用，對於病人而言更是理想的營養品。因為它的蛋白質是大豆的兩倍、牛肉的三倍半，並含有八種必要的胺基酸、大量的核酸等。日本是長壽王國，跟他們每年消耗500噸螺旋藻有關。甚至，當年搶救蘇聯核電廠爆炸，日本專家便帶去螺旋藻，因為抗輻射作用很強。甚至，太空人的食品也採用螺旋藻，不僅因為是鹼性食品，而且8公克就可以維持生命40天。

　　再來要談到核酸。它是生物細胞核的主要物質，主宰了人體新陳代謝和免疫力，可以降低基因變化的機率。核酸來源可由肝臟自行合成，及從飲食中攝取。鮭魚的精巢

含有核酸量最高，萃取出的核酸含量高達90％以上。一般而言，高蛋白質的食物，核酸含量也高。由於核酸可以促成正常細胞的代謝，並切斷癌細胞的營養抑制成長，癌症患者在化療時，可用做為營養補助品。不過，目前市面上不容易找到鮭魚的精巢，只有在盛產大量鮭魚的地方，比如像日本，才有處理好的精巢販賣，台灣可以買得到鮭魚精巢抽取物的錠劑。

說到大蒜，可不是只用來防禦西洋吸血鬼的，大蒜是抗癌之王！大蒜中富含的大蒜素（Allicim）和增精素（Scordinin）的生理活性成分，此外尚有蛋白質、脂肪、維生素A、B1、C及醣類，這使得大蒜具有超強的抗菌及殺菌效果。大蒜可以預防感冒，增強精力，成為許多抗疲勞劑的主要成分。再者大蒜可以降低血液中的膽固醇、三酸甘油脂、降血壓，防止血栓及動脈硬化症。當然最主要的是，**大蒜可以抑制致癌物質的形成，及癌細胞的增生。並增加白血球與巨噬細胞的活性，具有防癌和抗癌的能力。**

其次談到菇類。菇類含有多醣體，可以增加巨噬細胞的數量，自然免疫力也可以獲得提昇。為人人所稱道的靈芝，也是由於含有高質量的多醣體，許多癌症患者，常會服用靈芝丸劑或口服液，甚至採注射方式。不過，各式各樣的菇類，以及黑木耳、白木耳，十分美味，又具有療效，應多加食用。

這裡還要向讀者朋友介紹一種比較特殊的抗癌防癌植物，它的名字叫山防風。在罹病之初，尚未進行手術和化療之前，我就已經開始烹煮食用。這是一種根莖，具有增強免疫系統的功能，是經過研發人張錦得博士與國外機構長期的科學研究所證實。如何料理山防風，如何服用，都會在食譜中詳細解說。

小麥草的療效，這些年來在台灣頗受肯定。方智出版社曾經出版過一本專門談論這位女

者的感人故事。小麥草不僅具有神奇的療效，而且具有排毒效果，且可改善體質。

　　再者，番薯在這兩年來重新受到青睞，連飲食都流行復古了。周圍有不少朋友紛紛認真地吃起番薯養生餐來了，口碑甚佳。不僅被視為保養食物，還成了防癌聖品，簡直變成食物中的人參了。

　　我的身體排斥牛奶，也不喜歡奶腥味，多年以來，優格是我唯一攝取的奶製品。十分幸運，現在連營養學家都推薦這項食品，**因為酸奶中的益菌可以維持腸道菌平衡，消滅有害細菌。同時，它還可以減少人體對脂肪的吸收，並增加免疫球蛋白的數量。**中國北方的酸乳，我十分欣賞，旅行時候常常一整板捧回住處，風味絕佳，又具保健效果。

　　再來是五穀雜糧，全穀類具有不可忽視的治癒能力，象徵和平、綠化、痊癒。飲食中應採用糙米、胚芽米來代替白米，並多多採用小米、蕎麥、大麥、裸麥、燕麥、紫米來做主食，雜糧飯和雜糧麵包更為營養。我常自行調配八寶米來煮飯或粥，比單吃白米飯或白麵包營養許多。

　　此外，蔬菜中的蘆筍、南瓜、馬鈴薯、玉米、白及紫高麗菜、洋蔥、青黃紅甜椒、紅及白蘿蔔、芹菜、菠菜、小黃瓜；比較東方味的韭菜、芥菜、空心菜、小白菜、大白菜、苦瓜、地瓜葉、莧菜、茼蒿、藕、菱、牛蒡、秋葵；豆類中的毛豆、黑豆、綠豆、紅豆、豌豆、黃帝豆；西洋生菜中的西生菜、奶油生菜、蘿蔓、比利時小白菜、髮鬚菜；芽菜中的豌豆苗、苜蓿芽、綠豆芽、蕎麥苗、蘿蔔嬰和頂重要的青花椰菜芽；以上等等均是很好的選擇。

　　蘋果、鳳梨、奇異果、木瓜、葡萄、櫻桃、西瓜、草莓、芭樂、柳丁、柑橘、檸檬、紅龍果、百香果、梅子都是優質水果。

　　的黃耆、當歸、芡實、薏仁、枸杞、大棗、百合、貝母等都可運用。

　　松子、核桃、葵花籽、腰果、南瓜籽都十分之好，可以採用。

這樣烹調最健康

簡單約略地為抗癌食品做特別介紹後，再來談談健康的烹調方式。

少油少鹽少糖是我一貫的策略。**炒、煎、煮、燙、焗、煲、蒸、涼拌、烘焙都是十分不錯的方法，但是油炸、燒烤、醃漬及煙燻卻不可取。**大家都知道，油炸的食物含有過量脂肪，而且油脂氧化和碳化一樣危險。至於燒烤，在過程中，油滴在炭火所生的淡藍色煙霧含有很多致癌物質，而烤肉上的黑色焦油及多芬香烴化合物，致癌性更強。醃漬食物，其實是因為古早人沒有冰箱，而用做為保存食物的方法，但是由於鹽中所含的硝酸胺會因為細菌作用變成亞硝酸胺，這是一種致癌物。根據調查，常吃醃漬食物的人，罹癌比例比正常人多出5～7倍！最後是煙燻食物，其製造過程也產生許多不良致癌物質，因而不妥。

說到這裡，我們幾乎可以歸納出，多吃蔬果以及注意採用良好的烹調方式的結論來。不過，在最後我尚要提及幾個話題，便是素食、有機食品、生機飲食，以及因為病情而無法正常進食的癌症病患的營養攝取。

先來談談素食。撇開宗教因素我個人亦十分偏愛吃健康素和環保素。對於吃全素的人，特

別要注意飲食的均衡，食品種類宜多不宜偏，特別要注重均衡營養，少吃加工食品，並注意澱粉的攝取不要過多。姜淑惠醫師所標榜的素食三寶：大豆卵磷脂、小麥胚芽衣、啤酒酵母粉不可或缺。此外，多吃大豆製品及乾果，並且注意維生素B12大多存於葷食之中，而維生素D也多含在肝臟、蛋黃和魚油之中，奶製品則含有維生素B2。吃素可以，但是仍以健康為重，不用萬分執著。前期採方便素、肉邊菜，甚至不必一開始就棄絕奶製品和蛋類。

有機和生機飲食

有機食品，對於許多注重健康和養生的人來說，已不陌生。有機的概念是來自於現代的生活中環境的嚴重污染，尤其是水質、土質的惡劣。台灣使用農藥的量每年有四萬公噸，每人要分攤1.5公斤以上，成為健康的隱形殺手。有機蔬菜指的便是農作物從耕種、栽培、加工到食用都不添加化學或人工物質。有機栽培，便是在蔬果的栽植過程中充分使用腐熟堆肥，完全不使用農藥和化肥。

我們必須了解的是，有機食品並不代表功能，而是強調生產過程的無污染與自然。理論上來說，我們自然應當提高每日飲食中的有機食品比例，然而，有機產品的品質保證堪虞，而且價格昂貴，尤其是蔬果之外的肉類鮮少有機產品，都是問題。

談完有機食品，要來談談生機飲食，其實這兩者的意涵是大不相同的。有機並不代表生機，儘管生機飲食必需以有機蔬果做為食材。

記得在罹病之始，有一位病友，一個年輕的陶藝家來訪，向我引介他正在力行的生機飲食。為了做到食材的有機，全無污染，他只好親自栽培食材，並料理飲食。國外的生機飲食標準，70％生食，搭配30％熟食的標準他也做到了。然而，由於他拒絕接受正軌治療，仍然無法挽回自己的

生命。可以說是直覺，我拒絕了這種以生機飲食自療的方式。一來急需要營養的我，無法以這種方式得到足夠的養分；二來，胃口已然奇差，也無法適應和下嚥這些無滋淡味的食物；三來，癌已發生，單靠飲食是無法逆轉其惡質性的。但是，儘管如此，我還是採取了部分的生機飲食法，從罹病之初，每天一大杯的精力湯，仍然貫徹至今。

文末，要說的是對於無法正常飲食的病人，在食量小食慾差時，宜多採用少量多餐方法。我在第一次手術之後，有很長一段時間，都是一日五餐，並搭配點心、飲料，直到體重回升。像是湯品、粥品對於有飲食障礙的人來說，是比較容易進食和吸收的烹調方式。同時，在流質食物中亦可添加葡萄糖聚合物，以增加熱量攝取。另外，高蛋白奶粉亦可補充蛋白質攝取不足的人。倘若病人完全無法進食，採取插管進食的話，市面上亦有「完全營養品」可替代正餐。此外，市面上還有許多「單類營養品」和「特殊營養品」，可以補充能夠進食及無法進食的病人的營養。

總而言之，健康的你，飲食至上；生病的你，營養第一。

一本專門食譜的誕生

在這兒我們特別製作推出一本為養生、防癌、抗癌而寫的專門食譜，以提供健康的人和癌症病患參考使用。對於我們每個人而言，誠如《本草綱目》的作者李時珍所言，食療重於藥療，因為十藥九毒嘛。藉由飲食，未病的人能收防範於未然之功，何樂不為呢？

最後，尚有一點必須聲明，我並非營養專家，但是，卻因為大病久病而比一般人對健康均衡的飲食攝取多加關懷留意。這兒陳述的一些飲食經驗和心得，雖屬野人獻曝，卻有心與人分享，或者至少是在提醒大家一同來關心健康的飲食之道。

生病以前，就結識了烹調高手郭月英老師。病後，由於她的善心，卻使我們走得更近了。曾經經歷紅斑性狼瘡惡疾侵略的她，至為關心我的營養，不時提供諮詢，而且三不五時還會送來親手烹調的菜餚。見她一直在烹調領域奮力不懈，不僅技藝突飛猛進，而且新食譜一本本來到我面前，不禁令人為她的成果喝采！她的食譜，經常能夠鼓舞增進我的食慾，對我健康的恢復助益良多。

一日餐敘。無意中聊起，生病迄今，五年以來，眼見耳聞許多相識與不識的癌症病人，常常由於錯誤的飲食觀念和方法，而導致不幸。那些有機緣近身的人，固然可以提出建言，然而對於無緣結識的人則無法提出忠告了。因此，想要製作編寫一本簡單易行的防癌抗癌食譜的概念，就在這個時刻被我提了出來。性情中人的郭老師，馬上擊掌認同，就這樣，合作食譜便拍板定案了！

本書的特色是簡單、實用、可行、有效。其中共有飲料15道，粥品10道，湯類25種，菜餚40道，飯、麵14道，沙拉10道，以及點心10種。書中所提供的菜色，不僅均是健康飲食，而且尚具有養生、防癌、抗癌的功效。至於郭老師的手藝，具備色香味三者更是不在話下，這可是不同於一般只講求健康而無法勾起食慾的營養師或醫院飲食了！

祝福你永遠保有健康，此生遠離癌症！祝福！

Part1
飲料15道

精力湯

■ 材料

水果有柳丁1個・葡萄柚 1 個・奇異果1個・鳳梨1/8個・蘋果1/4個

芽菜有青花椰菜芽・蕎麥芽・綠豆芽・苜蓿芽・蘿蔔嬰・葵花苗・紅豆苗・豌豆苗（適量）

堅果有腰果・核桃・南瓜子・葵花子・松子・海帶芽（適量）・大豆卵磷脂・小麥胚芽衣・啤酒酵母粉各1茶匙

■ 作法

1 腰果、核桃、南瓜子、葵花子、松子、海帶芽在前一晚先泡好，備用。

2 將柳丁或葡萄柚榨汁。

3 將奇異果、鳳梨與蘋果切丁。

4 將所有芽菜洗淨。

5 依序將以上材料打細，最後再加入大豆卵磷脂、小麥胚芽衣、啤酒酵母粉混合均勻，即可飲用。

美味關係

由於材料的豐富多樣性，令我感到一天喝下一大杯的精力湯，一日營養已不虞。何況，這不僅擷取了生機飲食的精華，而且，一日基礎營養35種食品已然達成小半，分外令人安心。生病以來，幾乎不曾間斷。感謝簡志忠先生在我罹病之初，每日新鮮快遞，直到家中學會了自製精力湯。在此，強力推薦給每一人。

新鮮芽菜何處尋：在生機飲食店即可購得各式新鮮芽菜，台北的建國假日花市也是購買的好去處。

山防風何處尋：在一般青草藥店可購得，像是台北萬華一帶的青草街都找得到。

山防風

■ 材料

山防風半斤．水16碗．紅棗30粒．豬肉或排骨4兩．黃耆5錢

■ 作法

1 將山防風的泥土洗淨，切片。排骨放入熱水中川燙，撈起備用。

2 在不鏽鋼中加入16碗水，再放入其餘材料以中火煮1小時，然後倒出飲用。

3 鍋中材料可再加水煮兩遍至三遍，每遍可煮出三碗左右。第三遍太淡，可當水喝。

4 煮好的山防風湯，倒入乾淨的玻璃瓶中，置入冰箱保存。生的山防風根莖，在洗淨拭乾後，以乾淨的紙包好，另加一層塑膠袋防潮，再置入冰箱保存。

健康小站

事實上，在癌症病發手術之先，好友季蘭已親自為我烹調山防風湯。之後，我亦曾兩度造訪研發山防風的張錦得博士，斯時他與國外機構已進行多年的研究，證實這種根莖植物確實具有增強免疫的功效。山防風可以當成飲料，每天最好能喝三至四碗。

廚藝叮嚀

煮食山防風時需要加入瘦肉。由於油脂可以保護藥性，不易氧化及水解。同時，肉類的膠質是製造細胞的原料，可助身體復原。

青花椰菜芽柳橙汁

■ 材料

柳丁4個‧青花椰菜芽1小把

■ 作法

1 柳丁洗淨後切成兩半，用榨汁機擠出柳丁汁。

2 將青花椰菜芽洗淨，切成小段，和柳丁汁一起加入果汁機中打勻即可。

美味關係

由於青花椰菜芽被研究證實，其中含有一種神奇的物質，可以催生人體大量去毒酵素，因而成為芽菜類中的頂級抗癌聖品。好友葆玲特地從美國帶來種子，謙信特地送來培養器皿，並教授培育方法。不過，現在不用那麼費事了，建國花市和許多生機食品店都有販售。

麥草鳳梨汁

■ 材料

小麥草1兩·鳳梨2兩
調味料：果糖1小匙

■ 作法

1 將小麥草洗淨，鳳
梨洗淨後切丁。

2 將1和250C.C.冷開
水倒入果汁機中打
勻，濾掉渣後倒入
杯中加果糖調勻即
可飲用。

綠茶蘋果汁

綠茶拿鐵

綠茶蘋果汁

■ 材料

綠茶茶包1個・蘋果1/4個
料味料：蜂蜜1小匙

■ 作法

1 將茶包以200C.C.熱開水沖開，出味後取出茶包，放涼。

2 將蘋果削皮並切成小丁，再把放涼的綠茶與蘋果倒入果汁機中打勻，最後倒入杯中加蜂蜜調勻即可飲用。

綠茶拿鐵

■ 材料

綠茶粉2小匙・牛奶350C.C.
調味料：冰糖1小匙

■ 作法

1 把牛奶倒入小鍋中，加入冰糖、綠茶粉，以小火煮，邊煮邊攪拌均勻。

2 去除鍋面的浮沫，再倒入杯中即可。

番茄芹菜胡蘿蔔汁

■ 材料

番茄1個・西洋片1葉・胡蘿蔔1小段
調味料：蜂蜜1小匙

■ 作法

1 番茄洗淨後去蒂，切成小塊。胡蘿蔔削皮後切小丁。

2 芹菜撕去粗絲後洗淨，切成小丁。

3 將1、2與500C.C.的水置入果汁機中打勻，瀝去渣倒入杯中，加入蜂蜜調勻即可飲用。

健康小站

綠茶是茶品中對健康最為有益的飲料，因為它所含的茶多酚具有抗癌作用，可以防止癌細胞分裂。住在紐約的時候，作家木心就提醒我綠茶的好處多多。那時晨起寫作，便會泡上一杯日本製的玄米綠茶。只是我對咖啡因敏感，只放三五片茶葉。返台後，更是棄絕了這種保健飲料，十分可惜。在此建議有咖啡癮的人，可以綠茶取代，既可提神，又可保健，一舉兩得。

奇異果蜂蜜汁

■ 材料

奇異果2個
調味料：蜂蜜1小匙

■ 作法

1 將奇異果削皮，切成小丁。

2 將1和300C.C.冷開水置入果汁機中打勻，再倒入杯中，加入蜂蜜調勻即可。混合均勻，即可飲用。

美味關係

第一次嚐到奇異果的美味是在日本，那時我尚十分年輕。這種褐色毛茸茸的果實，看起來一點也不起眼，但是縱切或橫切開來，碧綠的色澤再配上孔雀翎羽般的圖案，煞是美麗。後來在台灣的拉拉山，首次見到它們生長在藤架上的模樣。在美國的時候常見到來自紐澳地的奇異果，往往成雙胞胎狀。大陸把奇異果叫彌猴桃，一位親戚曾帶給我們碩大無朋的果實，讓人驚嘆。

健康小站

奇異果含有超量的維生素C，可防止亞硝酸的產生，對消化道癌症特別具有防治效果。好友賀順順特別提供祕方，奇異果蜂蜜汁是她的通腸妙方，靈驗無比。我在病後原本常喝番茄蜂蜜汁，但是因為番茄未加熱，營養出不來，也就從善如流了。也可以將奇異果代換成蘆薈，同樣健康又好喝。

草莓優格汁

■ 材料

草莓2兩‧優格250C.C.

■ 作法

1 草莓去除蒂並且洗淨，切成小丁。

2 將1和優格放入果汁機中打勻即可。

廚藝叮嚀

酸奶是保健食品，是乳製品中最優質的，也是我選擇的唯一奶製品。優格和酸奶可以維持細菌平衡，增加腸道中的益菌，並消滅有害細菌。同時，做優格汁可用各種水果來搭配，例如草莓、藍莓、桑果、桃子、百香果、奇異果、鳳梨等都不錯。

草莓優格汁

奇異果蜂蜜汁

葡萄櫻桃汁

■ 材料

葡萄4個‧櫻桃1兩

■ 作法

1 葡萄串用剪刀剪成粒狀，放入鹽水中沖洗浸泡一下，再以清水沖乾淨。

2 將1與150C.C.冷開水放入果汁機中打勻，去渣備用。

3 櫻桃洗淨後去籽，切成小丁，再與2放入果汁機中汀勻即可。

酪梨百香果優格汁

■ 材料

酪梨半個‧百香果1個‧優酪乳200C.C.
調味料：蜂蜜1小匙

■ 作法

1 酪梨剝去外皮，去核，切成塊狀，放入碗中備用。

2 百香果洗淨後對半切，挖出果粒。

3 將1與優酪乳放入果汁機中打勻，倒入杯中加蜂蜜調勻，再放入百香果粒拌勻即可。

酪梨百香果優格汁

葡萄櫻桃果汁

黑豆漿

五穀粉汁

■ 材料

五穀粉2大匙 · 牛奶500C.C.
調味料：果糖1小匙

■ 作法

1 將五穀粉倒入牛奶中和勻。

2 將1倒入小鍋中煮，邊煮邊和勻，待煮滾後熄火倒杯中，加入果糖勻即可飲用。

黑白豆漿

■ 材料

黃豆與黑豆各2兩
調味料：冰糖2大匙

■ 作法

1 黃豆、黑豆分別洗淨，各泡水五小時。

2 將黑豆、黃豆分別放入果汁機中打勻。濾去豆渣後開小火煮，再放入冰糖邊煮邊攪拌，煮滾後熄火。倒入杯中即可飲用，冷熱皆宜。

健康小站

豆漿是中國人的牛奶，無論是黃豆或黑豆製成，營養都非常豐富。黃種人有70％不能吸收牛奶的乳糖。而豆漿中含的是寡糖，能夠完全被吸收。而且不僅豆漿中的鈣的含量比牛奶高，尤其可貴的是它有五種抗癌物質，可以防治乳腺癌、直腸癌和結腸癌。根據美國癌症研究協會指出，經常喝豆漿的女性，體內的女性荷爾蒙雌激素與黃體素都會明顯降低，有預防乳癌的作用。由於現代人的飲食習慣西化，許多女性乳癌罹患率大為增高，這與黃豆攝取量減少大有關係。

大蒜茶

■ 材料

大蒜五粒

■ 作法

1 大蒜瓣剝去外膜，洗淨備用。

2 鍋中加300C.C.的水，放入大蒜以大火煮開，轉小火煮約10分鐘後熄火，倒入杯中趁熱飲用。

熱可可

■ 材料

熱可可粉2大匙‧牛奶200C.C.

■ 作法

1 牛奶以小火加熱。

2 將可可粉倒入熱奶中勻即可。

美味關係

記得小時候，常常可以享受到熱可可的美味。旅居紐約的十年，每在天寒地凍的冬日，來上一杯暖上心窩的熱巧克力。但是總有一種錯覺，認為這種飲料熱量太高，又嫌刺激。病後才發現熱可可含有極為豐富的抗氧化物質，甚至超過綠茶三倍。因此，喝熱巧克力，自然不若直接喝熱可可更有益健康。

Part2
粥品10道

雜糧粥 ∂∂

■ 材料

蕎麥・燕麥・薏仁・大麥・小麥・紫米・高粱・糙米各1/4杯

■ 作法

1 將雜糧分別沖淨、泡水。

2 鍋內加入5碗水，先放下薏仁、大麥、小麥、燕麥煮，滾後轉小火煮20分鐘。再加入其他雜糧一起煮25分鐘，待粥熟即可。也可以3碗水煮成雜糧飯。

健康小站 ∂

生病之後，雜糧成為我採用的主食，並取代過去的白米。五穀雜糧的種類相當多，其中除了保留稻米原來營養的糙米和胚芽米之外，大麥、小麥、蕎麥、稞麥、小米、高粱、紫米、薏仁等等，我常常會採取七、八種混合搭配，營養價值要高出過去的白米飯許多。我比較偏愛雜糧粥超過雜糧飯，因為較為稀軟，比較容易消化吸收。

豆漿麥片 ∂∂

■ 材料

豆漿300CC・即溶麥片2大匙・調味料：果糖1小匙

■ 作法

1 將豆漿倒入鍋中以小火煮。

2 將麥片倒入1中一起煮，邊煮邊攪拌，以免焦糊。待麥片膨脹煮熟後，熄火加入果糖調勻即可。

健康小站 ∂

習慣把麥片或其他各種雜糧混合在牛奶中食用的人，可以改用豆漿，不僅美味，而且更具保健效果。

番薯粥 ∂∂

■ 材料

地瓜1條・白米一杯

■ 作法

1 地瓜削去外皮，洗淨後切成塊狀。

2 白米淘淨、瀝乾，加清水4杯及地瓜塊同煮，以大火煮開後轉小火煮約15分鐘，熄火燜蓋約5分鐘即可。

美味關係 ∂

番薯在現代人的飲食文化中，可謂是鹹魚翻生了！一向被視為低賤的農作物的番薯，再度受到人們的青睞。周遭有不少友人精研並力行番薯餐，每日不忘。而台菜中的番薯粥也因為香甜可口，特別受人喜愛。番薯可以吸收脂肪和毒素，對腸胃十分有幫助，並可預防腸癌。

雜糧粥

豆漿麥片

番薯粥

小米粥

■ 材料

小米1杯

■ 作法

1 小米淘洗乾淨，瀝乾。

2 將1加3碗水煮粥，以大火煮開後轉小火煮約20分鐘即可。

美味關係

小米粥滋味香甘，溫潤可口，從小就十分愛吃。拿來做粥品，比白米營養價值要高出許多。北方人吃烙餅或餡餅的時候，用來佐配，十分相宜。小米是鹼性穀物，含有豐富的胺基酸，以及其他有益健康的成分。同時，小米能夠除濕、健脾，對於鎮定和安眠特別有效。

番茄鮮菇瘦肉粥

■ 材料

番茄1個‧鮮香菇2朵‧梅花肉絞肉2兩‧白米1杯‧青江菜1株
調味料：鹽1小匙

■ 作法

1 將番茄洗乾淨，背部劃十字放入熱水中川燙，再撈起去皮並切小塊。

2 香菇洗淨，切除粗蒂後切成薄片，青江菜洗淨後切成小段。

3 白米淘淨，加4碗水煮，以大火煮開後轉小火煮約10分鐘。接著加入番茄、肉末、香菇煮10分鐘，最後放入青江菜，以鹽調味即可。

柴魚昆布粥

■ 材料

柴魚片2大匙・昆布1小段・白米1杯

調味料：鹽半小匙

■ 作法

1 柴魚加4碗水煮，以大火煮開後轉小火煮約10分鐘，瀝去渣。

2 白米淘淨，昆布剪作小段，拭去鹽分。

3 將2倒入1中煮，以大火煮開後轉小火煮約15分鐘，加鹽調味即可。

海鮮粥

■ 材料

蜆肉1大匙・鮮香菇1朵・魚片2兩・筍1支・芹菜1株・白米1杯

調味料：高湯3碗・鹽1小匙

■ 作法

1 白米淘淨，香菇去蒂、洗淨，切成細絲。

2 筍剝去外殼、粗皮，洗淨後切作細絲，芹菜洗淨切末。

3 將白米加筍絲及高湯煮，以大火煮開後，轉小火再煮10分鐘。接著放入香菇、魚片煮5分鐘，最後再放入蜆肉、芹菜末，以鹽調味即可。

薑泥魚片粥

■ 材料

鮮魚4兩‧白飯1碗‧嫩薑1段‧胡蘿蔔1小段
調味料：鹽半小匙‧料酒半小匙

■ 作法

1 鮮魚洗淨並切成魚片，嫩薑洗淨後以磨泥
　　磨成泥。

2 將胡蘿蔔削皮、洗淨，並切成薄片。

3 白飯加3碗水及胡蘿蔔煮成粥，以大火煮
　　開後再轉小火煮約10分鐘，再加入鮮魚
　　片及調味料煮3分鐘即可。

香菇雞絲粥

■ 材料

雞腓力1條‧白米1杯‧小白菜1株‧鮮香菇2朵

調味料：鹽1小匙‧白胡椒少許

■ 作法

1 雞肉洗淨後切細絲，加白胡椒及半小匙鹽和勻。

2 小白菜洗淨並切小段，香菇洗淨後切片。

3 白米淘淨，加3碗水煮粥，以大火煮開後轉小火煮10分鐘。再加入雞絲與香菇，待熟後再放入白菜段、鹽煮滾即可。

滑蛋牛肉粥

■ 材料

牛腓力2兩・白米1杯・蛋1個・蔥1株
調味料：鹽1小匙・太白粉1小匙・醬油
半小匙

■ 作法

1 牛肉切薄片後加醬油、太白粉和勻，
蔥洗淨後切末。

2 白米淘淨，加3碗水煮粥，以大火煮
滾後轉小火煮約10分鐘。接著放入
牛肉片，打入蛋花，待肉片與蛋熟後
加入鹽調味，最後撒上蔥花即可。

Part3
湯類25道

黃耆五色湯

■ 材料

青花椰菜1朵‧番茄2個‧鮮香菇3朵‧豆腐1塊‧黃椒1個‧黃耆5錢

調味料：鹽2小匙

■ 作法

1 青花椰菜切小朵並洗淨，番茄去蒂、洗淨並切成塊。

2 黃椒對半切，去子後切成塊。黃耆以清水速沖淨，豆腐切塊狀，香菇去蒂、切塊並洗淨。

3 將番茄、黃椒、黃耆、香菇加5碗水煮湯，以大火煮滾後轉小火煮約15分鐘。接著放入豆腐、青花椰菜煮約3分鐘，最後加鹽調味即可。

紫菜豆花湯

■ 材料

紫菜1兩‧豆花半碗‧蔥1株

調味料：鹽1小匙

■ 作法

1 蔥洗淨後切成蔥花，備用。

2 鍋中加3碗水煮湯，水滾後加入紫菜、豆花煮。待紫菜散開、豆花熟後，加鹽調味，再撒上蔥花即可。

美味關係

海藻是地球上最古老的生物，有紫菜、海帶、綠藻、紅藻、褐藻、螺旋藻等等，營養價值很高。記得小時候，家中永遠都貯備有紫菜，是最便捷的燒湯材料。那時候，也常常有挑擔子叫賣豆花的小販出沒在巷子裡，母親常常會買回一碗豆花。於是，晚上的餐桌上，就會出現一碗熱騰騰的紫菜豆花湯。加一點醬油、麻油調味，再撒下一把碧綠的蔥花，口感煞是清純鮮美。

蘿蔔牛蒡香菇湯

■ 材料

排骨半斤・蘿蔔半根・牛蒡6兩・香菇5朵・胡蘿蔔半根・蘿蔔嬰子少許

調味料：鹽2小匙

■ 作法

1 排骨放入熱水中川燙，取出後洗淨、瀝乾，備用。

2 蘿蔔、胡蘿蔔、牛蒡削去外皮，洗淨後切成塊。香菇去蒂、洗淨並切大塊。蘿蔔嬰子洗淨切段。

3 將1、2加6碗水熬湯，以大火煮開後轉小火煮約30分鐘，加鹽調味即可。

健康小站

這一道素菜湯的材料中的白蘿蔔與胡蘿蔔，富含維生素C，而蘿蔔嬰子含的維生素、礦物質比蘿蔔更多。尤其胡蘿蔔中還含有防癌的胡蘿蔔素，此外，並具有強化視力、改善貧血等功能。而牛蒡含有豐富的蛋白質、礦物質和維生素，最特別的是其中的富含的菊糖可以增強體力。而香菇具有人體所必需的胺基酸，此外，其中干擾素誘發物可增進免疫能力，具有抗癌防癌作用。

這道湯在日本被視為防癌抗癌聖品，並推廣向世界各地。

山藥胡蘿蔔雞湯

■ 材料

鮮山藥6兩 · 胡蘿蔔1根 · 雞腿1隻
調味料：鹽2小匙

■ 作法

1 山藥削除外皮，洗淨並切塊後
　浸水中。

2 雞腿洗淨後切塊，再放入熱水
　中川燙，撈起瀝乾，胡蘿蔔削
　去外皮，切成滾刀塊。

3 將1、2加5碗水煮，以大火煮
　開後轉小火煮約25分鐘，再加
　鹽調味即可。

素羅宋湯

■ 材料

高麗菜1/4個・馬鈴薯1個・甜椒1個・秋葵4兩・番茄3個・皇帝豆2兩・月桂葉2片・洋蔥1個
調味料：番茄醬2大匙・鹽2小匙

■ 作法

1 番茄背部劃十字，放入熱水中川燙，取出後去皮並切小塊。馬鈴薯、洋蔥剝去外皮，洗淨後切成小塊。

2 高麗菜洗淨，用刀切小塊。皇帝豆以清水洗淨。甜椒對半切，去子後切小塊。

3 將1、2、月桂葉與5碗水熬湯，以大火煮開後轉小火煮約40分鐘，加調味料和勻即可。

美味關係

這道湯是我的最愛，材料可以用羅宋湯的材料，諸如番茄、胡蘿蔔、洋蔥、高麗菜、馬鈴薯，均是防癌抗癌的超級食材，番茄中的穀胱甘肽、胡蘿蔔中的胡蘿蔔素、洋蔥中的硒，以及高麗菜中的「吲哚化合物」都對癌症具有預防和抑制的效果。當然除了抗癌防癌，這些食材還具有很多對身體起良好作用的功能。此外，還有更重要的一點是十分開胃和美味。

這道湯，可素可葷，想吃葷的人可加標準羅宋湯的牛肉，不吃牛肉的話，也可換成排骨。至於素菜的部分，亦可視情況更換。

番茄牛肉牛筋清湯

■ 材料

番茄3個·牛腩6兩·牛筋6兩·薑1段·蔥2株

調味料：鹽2小匙

■ 作法

1 番茄洗淨，背部劃十字，放
入熱水中川燙，取出後去皮
並切大塊。

2 牛腩、牛筋放入熱水中川
燙，撈出以清水沖淨，蔥薑
洗淨後切段。

3 將牛筋加5碗水煮開後，轉
小火煮約20分鐘。再放入牛
肉、蔥、薑煮，以大火煮開
後轉小火煮約50分鐘，最後
加鹽調即可。

海帶凍豆腐排骨湯

■ 材料

海帶結6兩‧凍豆腐1塊‧排骨半斤‧胡蘿蔔1根

調味料：鹽2小匙

■ 作法

1 排骨放入熱水中川燙，再洗淨瀝乾。

2 凍豆腐切大塊，海帶結以清水洗淨，胡蘿蔔削去外皮後切成滾刀塊。

3 將1、2加5碗水煮湯，以大火煮開後轉小火煮約30分鐘，加鹽調味即可。

健康小站

由於富含各種維生素和礦物質，以及大量的葉綠素，海帶不僅美味，而且具有排毒、清血、造血和防止心臟病功能，對視力、排便都有助益。說到凍豆腐，除了具有豆腐的營養素之外，它還具有特別的吸收腸胃道及全身的組織的脂肪的功能，幫助脂肪排出體外。

番茄黃豆芽骶骨湯

■ 材料

黃豆芽4兩・番茄2個・尾骶骨1條
調味料：鹽2小匙

■ 作法

1. 骶骨放入熱水中川燙，取出洗淨，瀝乾。

2. 番茄背部劃十字，放入熱水中川燙，取出後去皮並切小塊。黃豆芽洗淨瀝乾。

3. 將1、2加5碗水熬湯，以大火煮開後轉小火煮約30分鐘，加鹽調味即可。

健康小站

番茄加熱，營養素才能完全釋放出來，生吃番茄效益不大。而黃豆芽的營養更是不容置疑，黃豆本身是最佳食品，在做為種子發芽時，原有的蛋白質、維生素和礦物質變得加倍豐富，更易為人體所吸收。

蓮藕菱角蓮子排骨湯

■ 材料

蓮藕1節‧菱角6兩‧蓮子少許‧排骨半斤‧胡蘿蔔1根

調味料：鹽2小匙

■ 作法

1 排骨放入熱水中川燙，再洗淨瀝乾。

2 蓮藕去節洗淨，切塊狀。胡蘿蔔削去外皮，洗淨後切塊狀。菱角放入熱水中川燙一下，浸水去外膜並沖乾淨。

3 將1、2加5碗水熬湯，以大火煮開後轉小火煮約25分鐘，加鹽調味即可。

健康小站

蓮藕、菱角、蓮子可謂是一門三秀。雖富含澱粉卻低脂肪，此外，維生素、鈣、鐵、磷很多，容易消化吸收。具有清血、益胃、養腎、安神的作用。

黃豆大骨湯

■ 材料

黃豆半斤．豬大骨1副
調味料：鹽1小匙

■ 作法

1 黃豆洗淨，加6碗
水煮。

2 大骨洗淨後放入熱
水中川燙，撈出放
入冷水中浸泡一下
出血水，再洗乾
淨，放入1中煮。

3 以大火煮開後轉小
火煮約1小時，熄
火，倒出濃湯加鹽
調味即可。

美味關係 ∾

傳統的作法是黃豆豬腳湯，但是豬腳不僅太肥膩了，而且膽固醇超高。改用大骨熬湯，滋味不減，而且
去除弊病之後，好處多多。因為大骨中含有琬膠，而琬膠可以益壽延年。

四神湯

■ 材料

山藥1兩‧薏仁2兩‧芡實2兩‧茯苓1兩‧鮮蓮子4兩‧豬腸半斤

調味料：鹽2小匙‧料酒1大匙

■ 作法

1 豬腸洗淨後放入熱水中川燙，撈出洗淨並切小段。

2 所有藥材以清水沖淨，加1與10碗水煮，以大火煮開後轉小火煮約50分鐘。再加入蓮子煮約15分鐘，最後加上調味料即可。

健康小站

芡實含有蛋白質、維生素C、鈣、鐵、磷等豐富營養成分，可以止瀉、止夜尿。山藥含有黏液質、膽鹼、澱粉酶以及多量澱粉，為滋養強壯、幫助消化之良藥。蓮子則可以清心火而寧神，急性熱病或手術後體力衰弱者可用。茯苓則可增加腸胃道的吸收，並可治療腹瀉。

玉米濃湯 ∽

■ 材料

玉米粒罐頭半罐‧玉米醬半罐‧蛋1個
調味料：鹽2小匙‧黑胡椒粒半小匙‧太
白粉2小匙

■ 作法

1 鍋中倒入4碗水煮開，再加入玉米粒
　及玉米醬罐頭煮。

2 蛋打成蛋花，待1煮滾後倒入蛋花，
　加鹽調味，再以太白粉水勾芡，煮滾
　後熄火，再撒上胡椒粒即可。

健康小站 ∽

玉米被稱為是黃金作物，其中含有大量
的卵磷脂、亞油酸、穀胺酸，和維生素
B1、B2、E等，可以防止動脈硬化、
高血壓，以及抗老化。

番茄濃湯 ∽

■ 材料　番茄3個‧大蒜2小粒‧調味料：鮮奶油1小匙‧鹽半小匙

■ 作法

1 番茄去蒂洗淨，背部劃十字，放入熱水中川燙，取出後去皮並切小丁。

2 大蒜切碎，與番茄丁一起放入果汁機中打勻，再倒入鍋中以小火煮開，再倒入鮮奶油、鹽調味即可。

健康小站 ∽

住在美國十餘年，吃西餐的時候，湯是我的首要，而且番茄濃湯也是我的上上之選。番茄近年來十分紅火，被美國時代
雜誌封為第一食品。實因番茄中的茄紅素是強力抗氧化物，穀胱甘肽有抗癌效果，可以防止子宮癌、卵巢癌、胰腺癌、
膀胱癌、前列腺癌。其他各種質素和益處，請參閱書末的「認識食材」。特別一提的是，茄紅素與蛋白質結合在一起，
周圍被纖維素包藏，須加熱才能釋出。

南瓜濃湯

■ 材料

南瓜半斤・鮮奶油1小匙・胡蘿蔔半根
調味料：鹽1小匙

■ 作法

1 南瓜胡蘿蔔削去外皮並切塊，加3碗水煮。以大火煮開後轉小火煮約15分鐘，放涼。

2 將1放入果汁機中打勻，再取出倒入鍋中，加鹽調味後煮滾，盛碗淋上鮮奶油即可。

美味關係

南瓜濃湯是西餐一道十分特別又美味的湯。住在紐約的時候，每到萬聖節前，南瓜便成為市場中的主角，十分喜感。尤其是馳車經過瓜田，遍地躺著大大小小的金紅瓜，像童話一般。南瓜像它的外型一樣，不負眾望，是一種營養十分完全的食物。含有澱粉、蛋白質、礦物質的鈣・鐵・磷、維生素A・B・C，以及豐富的纖維素。至於南瓜中的葡萄糖、戊聚糖、含露醇等多種糖類，則使它的風味特別甘美。

鮮豆濃湯

■ 材料

豌豆半斤・牛奶300C.C.
調味料：鹽1小匙・黑胡椒粉半小匙

■ 作法

1 豌豆洗淨，放入熱水中川燙去皮，加2碗水煮熟。

2 將1放入果汁機中打勻，去渣，再與牛奶煮滾，加鹽與胡椒粉調味即可。

蘑菇濃湯

■ 材料

蘑菇半斤‧牛奶300C.C.
調味料：鹽1小匙‧鮮奶油1小匙‧黑胡椒少許

■ 作法

1 蘑菇去蒂洗淨，切薄片，備用。

2 鍋中放入1匙油，將1放入炒，炒至熟軟，放涼。

3 將2和牛奶放入果汁機中打勻，倒入鍋中以小火煮開，再加鮮奶油、鹽調味。盛碗時加黑胡椒即可。

健康小站

菇類幾乎包羅人體所有必需的胺基酸，營養價值很高，且可提高免疫功能。蘑菇濃湯則是西餐裡面最普遍和最受到歡迎的一道湯，做起來也簡便，不妨經常採用。

法式洋蔥湯

■ 材料

洋蔥1個・培根1片・調味料：鹽半小匙

■ 作法

1 洋蔥切半去皮，洗淨後切細絲，培根切小丁。

2 熱油鍋，加入培根末爆香，再加入洋蔥絲炒，以小火不斷翻炒至洋蔥成金黃色及軟透，再加鹽調味即可。

3 將2加3杯半高湯同煮，煮滾後以小火煮約20分鐘即可。

美味關係

住在西方十餘年，法國菜是我的最愛。居住紐約格林威治村的時候，經常會到第六大道十二街角的一間小巧的法國餐室用餐，每次總會情不自禁點一道法式洋蔥湯。其實，說真格的，只要吃法國菜，不論何時何地，洋蔥湯總會被點為花魁。這道湯滋味芳郁，而且是清湯，這是我喜歡的主因。而且，不怕見笑，我總是要求不放硬麵包和起司。

味噌蜆仔湯

■ 材料

味噌醬1大匙・蜆仔6兩・蔥1株

調味料：糖1/4小匙

■ 作法

1 蜆仔洗淨後放入水中浸泡，吐沙。蔥洗淨後切蔥花。

2 味噌加2碗水和勻，放入鍋中煮，煮開後放入蜆仔同煮。煮至蜆仔開口，加糖調味，撒上蔥花即可。

廚藝叮嚀

味噌湯是日本料理中最普及的一道湯，最簡單的是用海帶芽、豆腐和味噌做成；而比較講究的則用魚骨、魚肉、蛤蚌等做成。味噌是由黃豆製成，營養價值十分高，而且滋味特殊，十分味美。

蘿蔔絲鯽魚湯

■ 材料

蘿蔔半條‧鯽魚2尾‧蔥1株
調味料：鹽1小匙

■ 作法

1. 鯽魚洗淨去魚鱗，拭乾後放入油鍋中炸至金黃色。

2. 蘿蔔削皮，切細絲，加3碗水煮，以大火煮開後轉小火煮約10分鐘。

3. 再放入1的鯽魚同煮20分鐘，待湯呈奶白色，加鹽調味即可。

美味關係

一道老湯，令人懷念。蘿蔔切成細絲，鯽魚微煎，一同熬煮，連魚骨都化了，變成乳白色。滋味鮮美，溫潤又營養，尤其在生病的時候，格外嚮往。

魩魚山藥丁海菜湯

■ 材料

魩魚1兩‧鮮山藥2兩‧海菜1匙‧枸杞1小匙
調味料：鹽1小匙‧太白粉1小匙

■ 作法

1 鮮山藥削去外皮，洗淨切小
丁，加3碗水煮湯。

2 待1滾後轉小火煮10分鐘，再
放入魩魚及海菜、枸杞。再次
煮滾後，加鹽調味並以太白粉
水勾薄芡即可。

黑豆杜仲土虱湯

■ 材料

土虱1尾・黑豆4兩・炒杜仲5錢・紅棗12粒・枸杞5錢
調味料：鹽2小匙・料酒1大匙

■ 作法

1 黑豆與藥材以清水快速沖淨，放入鍋中以8碗水熬成湯，先以大火煮開後再轉小火約煮40分鐘。

2 土虱去鰓，洗淨後切成大段。再放入1的湯中以中火約煮10分鐘，最後加入調味料和勻即可，趁熱食用。

赤鯮薑絲湯

■ 材料

赤鯮1尾・嫩薑1段・蔥1株
調味料：鹽1小匙・料酒1小匙

■ 作法

1 赤鯮去魚鱗洗淨，在背上劃兩刀。

2 嫩薑洗淨切絲，蔥洗淨切蔥花。

3 鍋中放入3碗水煮，先放入薑絲煮開後，接著放入赤鯮。待湯滾後轉中火煮3分鐘，加入調味料，最後撒上蔥花即可。

冬瓜蛤蜊湯

材料

冬瓜1段・蛤蜊6兩・嫩薑1段
調味料：鹽2小匙

作法

1 冬瓜削皮後洗淨，切成小塊。

2 蛤蜊洗淨後泡水吐沙，嫩薑切成薄片。

3 將冬瓜與薑片以4碗水煮，以大火煮開後轉小火煮約20分鐘，再加入蛤蜊以大火煮，待蛤蜊開口即可加鹽調味，熄火。

當歸鴨

材料

杜仲5錢・黃耆、當歸、枸杞各3錢・川芎、桂枝、丁香各1錢・炒芍2錢・炙甘草2錢・補骨脂2錢・紅棗10粒・鴨半隻
調味料：鹽1小匙・料酒2大匙

作法

1 藥材以清水快速沖淨，加8碗水煮。

2 鴨洗淨後放入熱水中川燙，瀝乾後放入1中一起煮。以大火煮開後轉小火煮約20分鐘，加調味料和勻即可。

3 食用時可以挑去藥材再倒入碗中。

健康小站

在一般人概念裡，總認為雞比鴨好，其實兩者營養價值都很高，但是各有千秋。鴨肉的特點是膽固醇含量比魚肉還低，而且會造成動脈硬化的飽合脂肪酸比豬、牛、羊尚少。此外，鴨肉性寒，一般認為體內有熱，上火的人宜吃鴨肉。

當歸，在中藥25種使用頻率最高的藥材中佔第八名。具有補血、活血的功能可抗惡性貧血。同時，可以增強免疫能力，並具有鎮靜、鎮痛的作用。對於調經和防止流產，以及通便和保肝亦有功效。第一次嚐當歸鴨，是在台南夜市，那時我只有十八歲。一向害怕中藥味道的我，居然馬上接受了當歸的滋味。

香菇鮮筍雞湯

材料

鮮香菇3朵・筍2支・雞腿1隻
調味料：鹽2小匙

作法

1 香菇去蒂洗淨，切成四大塊。
筍削去外殼、粗皮，洗淨後切
成滾刀塊。

2 雞腿洗淨後放入熱水中川燙，
撈出備用。

3 將1、2加5碗水熬湯，以大火
煮開後轉小火煮約25分鐘，加
鹽和勻。

美味關係

這一道湯，十分鮮美。在生病以
前，常常用來宴客。病後由於避開
雞體的高生長激素、荷爾蒙、抗生
素等，成為我的兩位醫生要我禁食
之物。不過，我想這只限婦科癌
症，或者男性生殖器官癌症患者。
另外，食材中的香菇是好食物，而
竹筍的低糖、低脂肪和高纖維可以
去油，而且防止便秘。

Part4
菜餚40道

涼拌翡翠香乾

■ **材料**

菠菜4兩・白豆乾3塊
調味料：鹽半小匙・香油1小匙

■ **作法**

1 菠菜去根部，洗淨瀝乾。

2 豆乾洗淨，放入熱水中川燙一下，待涼切小丁。

3 將1放入熱水中川燙，取出瀝乾，抓去水分後切碎丁。

4 將2、3加調味料扮勻即可。

廚藝叮嚀

這一道我常做的菜，有一次參加名人廚藝示範，我還選做了這道簡便不易失手的菜。翡翠指的是菠菜，用來取代上海著名小菜馬蘭頭，因為台灣不易覓得。細細碎碎的綠，拌上星星點點的豆腐乾，用白色豆乾更美。加上一點點麻油、白醬油、胡椒粉或辣油就很甘美了。如果願意，加點香菜也不錯。要點葷腥，可用油爆香碎蝦米或干貝絲拌入。

素咖哩 ᕽᐤ

■ 材料

馬鈴薯1個‧胡蘿蔔1根‧洋蔥1個‧秋葵6根‧白花椰菜半個‧蘭花乾3塊‧大蒜5粒

調味料：鹽、冰糖適量‧油5大匙‧高湯2大碗

■ 作法

1 先將馬鈴薯、胡蘿蔔削皮洗淨，切滾刀塊。洋蔥、秋葵、蘭花乾切塊，大小視個人喜好。大蒜拍碎，白花椰菜切小朵。

2 起油鍋，先爆香大蒜，再放洋蔥炒香。待變軟後，放入咖哩粉，炒至香味出來，再放馬鈴薯、胡蘿蔔與蘭花乾拌炒一下。

3 接著倒入高湯或清水，煮滾後轉小火慢慢燜煮，這時再放花椰菜。煮至馬鈴薯與胡蘿蔔有點鬆軟後，放下秋葵與調味料，煮至湯汁微濃稠即可。

廚藝叮嚀 ᕽᐤ

素咖哩絕對不會輸給葷的喔！近年我偏愛素咖哩，家中來了茹素的客人更是大受歡迎。在取材上，我喜用馬鈴薯、白花椰菜、胡蘿蔔、秋葵和蘭花豆乾。這樣的搭配色澤美麗，之所以選擇蘭花豆乾，則因為較能入味。

咖哩有辛香之味，其中的薑黃素具有殺除癌細胞功能，而印度傳統中也認為吃咖哩可消炎及抗老。雖然有點刺激，但可以大大提振食慾，對於胃口不佳的人，特別能夠幫助進食。想要吃葷的，選擇加入牛肉、豬肉、雞肉即可。花椰菜要在中段放入才不會煮得過爛，喜歡較甜的人可以多放一些冰糖。

起司焗雙椰

■ 材料

青花椰菜1朵‧白花椰菜半朵‧起司絲1大匙

調味料：麵粉1大匙‧牛奶200C.C.‧鹽半小匙‧黑胡椒粒少許

■ 作法

1 兩種花椰菜洗淨，切小朵備用。

2 油鍋中放入麵粉以小火炒，炒至溶化緩緩倒入牛奶再繼續炒至濃稠，加調味料和勻。

3 將1放入烤盤中，倒入2，撒上起司絲。

4 烤箱以200度預熱15分鐘，將3放入烤箱中烤20分鐘即可。

美味關係

住在紐約的時候，我交了一個德國女朋友海兒格，她教會我這道起司焗蔬菜。在廚房有大烤箱的國家，特別方便。這裡採用的是抗癌功能很強的白和青花椰菜。其實，為了符合一日吃35種以上食材的標準，焗蔬菜裡可放的東西很多，諸如洋蔥、馬鈴薯、番茄、茄子、胡蘿蔔、彩椒、蘑菇等都可以。

百合炒時蔬

■ 材料

百合1粒‧甜豆4兩‧鴻禧菇2兩
調味料：鹽1小匙

■ 作法

1 百合剝成一瓣一瓣後洗淨，
鴻禧菇洗淨後剝散。

2 甜豆去邊絲，洗淨。

3 熱油鍋，放入甜豆炒，接著
加入鴻禧菇和鹽。待菇變
軟，再放入百合片，炒至呈
透明即可。

健康小站

時蔬，指的是當季蔬菜。所有
蔬果，在盛產期都是物美價廉
的，宜多採用。至於百合，有
點像百搭，容易跟其他蔬菜搭
配，冰清玉潔的瓣落，與各色
蔬菜一搭配，顯得格外晶瑩剔
透，引人食慾。《本草綱目》
記載蛋白質含量極高的百合，
可以潤肺、安神、止血、止
痛，並有助消化。

白果焗白菜

■ 材料

蔥2株‧大白菜半個‧白果10餘粒‧開陽1小匙‧起司粉1大匙　　調味料：麵粉1大匙‧牛奶200C.C.‧鹽2小匙

■ 作法

1 蔥洗淨去根部，切長段，大白菜洗淨，切粗絲，白果洗淨。

2 熱油鍋，放入蔥爆香，接著放下開陽炒，再放入1拌炒，至白菜軟化，盛入烤盤中。

3 油鍋中放入麵粉以小火炒，炒至溶化緩緩倒入牛奶再繼續炒至濃稠，倒入2中和勻，再撒上起司粉。

4 烤箱以200度預熱15分鐘，將3放入烤箱中烤20分鐘即可。

健康小站 ❧

大白菜屬十字花科植物，具有抗癌、抗心血管疾病、糖尿病和抗衰老的作用。可以促進幼兒生長，促進男性精子活力，並可促進傷口癒合。

白果，又稱銀杏，含蛋白質、澱粉、維生素及多種胺基酸。

烤芥菜心 ✑

■ 材料

芥菜心2根・油4大匙
調味料：醬油2大匙・冰糖3大匙・
鹽少許・水3碗半

■ 作法

1 芥菜心洗淨，不要去皮，切成1
吋半長段，以餐巾紙擦乾，以免
油爆。

2 熱鍋，放下4大匙油，油熱後放
下菜心翻炒均勻。再放入醬油、
冰糖，加水3碗半剛好淹過材
料，以大火煮滾後轉小火慢煮，
其間要常翻動以免沾鍋。

3 湯汁快收乾時試試是否已變軟，
沒有的話再加點水煮一會兒，收
乾時點鹽即可。

健康小站 ✑

這是一道極為可口的江南小菜，可
以連葉子一起做，也可以只做粗莖
的部分。芥菜屬於十字花科植物，
含有抗癌化合物，可以消除強力雌
激素的作用部分，避免腫瘤生成，
並可預防多種癌症和心臟病。

煎茄盒

■ 材料

較胖的茄子2條．絞肉6兩．蛋1個．麵粉少許．蔥末、薑末少許

調味料：香油、醬油、胡椒粉、太白粉、酒、鹽、糖各少許．油3大匙

■ 作法

1 茄子洗淨去頭尾，斜切2公分厚塊，
　中間再劃一刀，不切斷，備用。

2 絞肉與所有調味料以同一方向攪拌，
　至有點黏稠度。

3 蛋與麵粉加水打成糊。

4 將2鑲入1的茄子裡，裹上麵糊。

5 熱油鍋，將裹上麵糊的茄子煎至兩面
　金黃即可。

美味關係

這是留在美好回憶裡的「媽媽的口
味」。東北人喜歡吃茄子，除了茄子燉
馬鈴薯、清蒸茄子拌蒜泥都是常年的家
常菜外，茄盒特別受到少年時代我的喜
愛。過去的人，食物鮮少脂肪，所茄盒
採用油炸。油脂太多，對現代人來說則
不宜，因此改由油煎，香味仍在，卻不
油膩了，十分可取。同時，提醒一句，
茄子也是良好的抗癌食物。

百菇燴

■ 材料

金針菇1把‧蘑菇1盒‧草菇2兩‧秀珍菇2兩‧鮮香菇3朵‧鴻禧菇1盒‧豌豆仁1兩
調味料：鹽2小匙

■ 作法

1 將所有菇類洗淨，然後切片
　 或切長段，豌豆仁洗淨。

2 熱油鍋，將1放下去炒，待
　 菇軟香味出來，即可調味起
　 鍋。

健康小站

古今中外，人們都對菇類鮮美
獨特的滋味傾心。各式各樣可
供食用的真菌，被現代科學家
發現它們不僅具有人類需要的
各類完整胺基酸，而且含有的
干擾素誘發物，可以增強人體
免疫功能。除了調節抗體代
謝、安神活血和滋補之效，更
具有抗癌和防癌的功能。

蔥油南瓜

■ 材料

蔥3株‧南瓜半個
調味料：鹽2小匙

■ 作法

1 蔥洗淨後切小段，南瓜去子後洗淨，切成大塊。

2 熱油鍋，放下蔥段爆香，接著放入南瓜炒，並加水1碗煮。待南瓜熟軟，加鹽調味，開大火將湯汁收乾即可。

玉米炒甜椒

■ 材料

鮮玉米粒4兩‧紅甜椒半個‧豌豆仁1大匙

調味料：鹽1小匙

■ 作法

1. 玉米粒洗淨，用濾網撈起瀝乾。

2. 甜椒洗淨切細丁，豌豆仁洗淨瀝乾。

3. 熱油鍋，放下1炒，接著加入2與調味料同炒，待玉米粒熟即可。

廚藝叮嚀

黃金蔬菜玉米，配上大紅色的甜椒，甚至綠色甜椒，色澤可謂豔麗之極，引人食慾。兩種食材注重的是新鮮，在少油少鹽的訣竅下，可以吃出食物本身的清甜爽口。

紅燒苦瓜

■ 材料

苦瓜2條‧破布子1小罐‧豆豉1小匙

調味料：醬油1大匙‧糖1小匙‧大蒜5粒‧油3大匙

■ 作法

1 苦瓜洗淨後切成大方塊，大蒜拍碎備用。

2 熱鍋後放下3大匙油爆香大蒜，再放入苦瓜翻炒。接著放入破布子、豆豉，然後加2碗水，以大火煮。

3 煮滾後轉小火燜至苦瓜酥軟，燜煮時要不時翻動避免沾鍋。燜至湯汁差不多收乾，放糖拌勻即可剩盤。

健康小站

小時候很怕苦瓜，長大之後，才發現苦瓜的苦中之甘。苦瓜所蘊藏營養素特別豐富，在這兒要強調的是，苦瓜汁中含有類奎寧蛋白質，能刺激人體內的免疫系統，增強巨噬細胞的吞噬能力。同時苦瓜本身就是一種效力極強的防癌物質，通過實驗證實可以抑制腫瘤細胞生長。

醋溜馬鈴薯絲

■ 材料

馬鈴薯1個
調味料：白醋2大匙·鹽1小匙

■ 作法

1 馬鈴薯削去外皮，洗淨後切
　　細絲。

2 鍋中放入水煮開，將1倒入水
　　中川燙，取出瀝乾。

3 將2加調味料和勻即可食用。

美味關係

馬鈴薯，也叫洋芋，東北人管
它叫土豆，與台灣人口中的土
豆——花生，大不相同。蒸來
沾大蔥大醬吃，或者用四季豆
和茄子一起燉之外，醋溜馬鈴
薯絲是一道簡便又健康的家常
菜。馬鈴薯被美國營養專家譽
為「十全十美」的食物，法國
人稱之為「地下的蘋果」，由於
其富含的各種營養素，的確當
之無愧。日本人則喜歡飲用馬
鈴薯汁來防癌、抗癌。

番茄鮮菇鍋 ～

■ 材料

番茄半斤・鮮香菇・金針菇4兩
調味料：鹽2小匙

■ 作法

1 番茄背部劃十字，放入熱
水中川燙，取出後去皮並
切小塊，馬鈴薯、洋蔥剝
去外皮，洗淨後切成小
塊。

2 香菇洗淨後切片，金針菇
去除根部後洗淨，瀝乾。

3 將所有材料放入鍋中，加
水淹過材料，以大火煮滾
後轉小火煮約20分鐘，再
加鹽調味即可。

美味關係 ～

白高麗菜和紫高麗菜均含有豐富的維生素C，只要吃一大
片，就可提供一天所需維生素C的70％的量。而且，高
麗菜的抗癌效果近來也頗受到矚目，因為已被醫學界證
明，它含有具解毒與消除致癌物質的特殊吲哚化合物。此
外，並能修復體內受傷組織，以及治療胃潰瘍。雙色高
麗菜一起炒或作成雙拼，色彩十分美麗，引人食慾。

雙色高麗菜 ～

■ 材料

紫高麗菜1/4個・白高麗菜1/4個
調味料：鹽2小匙

■ 作法

1 雙色高麗菜分別洗淨，切塊狀。

2 在鍋中滾水裡放入1小匙油及1小匙鹽，分別川燙雙色高麗
菜，取出再拌上少許鹽即可盛盤。

嫩薑豆腐

■ 材料

盒裝或傳統豆腐一塊・嫩薑1大塊
調味料：醬油2大匙・糖半茶匙

廚藝叮嚀

豆腐易碎，在翻面時要小心，煎起來才會完整漂亮。

健康小站

豆腐是保健的超級食品，價又廉宜，烹煮簡單，實應多加採用。用薑片一起燒，別有風味。薑的本身含有蛋白質及豐富的鐵、薑辣素等，可促進血液循環、幫助消化、防治傷風感冒。如果用蔥來燒一道「長蔥豆腐」或「小蔥豆腐」，風味又迥異了。蔥富含維生素B・C、胡蘿蔔素、鈣、胺基酸、纖維等。蔥綠內側黏液中的多醣體，會凝集體內不正常的細胞，產生抑止效果，可以提升免疫力。

■ 作法

1 豆腐切片，嫩薑切薄片。

2 鍋熱後放少許油，放下豆腐煎至兩面金黃。接著放下薑片，最後放下調味料即可起鍋。

菌尤

■ 材料

蘑菇1盒‧開陽1小匙‧蔥2株

調味料：鹽半小匙‧醬油1小匙

■ 作法

1 蘑菇洗淨、去蒂，蔥洗淨後切蔥末。

2 熱油鍋，放入開陽爆香，再放入蘑
菇，加入調味料及1大匙水炒至菇軟
變小，再放入蔥末炒勻即可。

賽蟹黃

■ 材料

蛋5個・木耳末2大匙・薑末1大匙
調味料：鹽、糖各1茶匙・白醋2大匙・
油4大匙

■ 作法

1 蛋黃與蛋白分開，鍋熱後放2大匙
油，先炒好蛋白，取出。

2 再用2大匙油炒蛋黃，加入木耳末、
薑末、鹽、糖、醋同炒。

3 加入炒好蛋白拌炒一下，即可起鍋。

美味關係

螃蟹對許多人來說，是超級美食；對於
另外一些人來說，則感到麻煩，不想
吃；還有一些人雖然想吃也愛吃，卻又
怕怕。據說螃蟹大寒，膽固醇又太多，
又容易發。病前，一年中偶爾會吃一兩
回大閘蟹，病後，每逢菊黃蟹肥之時，
吃個半隻一隻算數。因此之故，便想起
了用蛋、醋、薑就可做出與螃蟹比美的
菜餚，口腹之慾也就得到了補償，也真
不錯！

木須肉

■ 材料

黑木耳4兩‧瘦肉4兩‧嫩薑1段
調味料：醬油1小匙‧鹽半小匙

■ 作法

1 黑木耳洗淨細絲，瘦肉切細絲，嫩薑洗淨切細絲。

2 熱油鍋，放下薑絲炒香，接著放下肉絲、黑木耳拌
炒，並加調味料炒勻，至肉絲熟且入味即可。

蒜泥白肉毛豆雙拼

■ 材料

肩胛肉1片・毛豆仁4兩・大蒜3粒
調味料：醬油2大匙・糖1小匙・鹽半小匙

■ 作法

1 肩胛肉洗淨，放入水中清煮。以大
火煮滾後轉小火煮約10分鐘，熄火
燜10分鐘。

2 毛豆仁洗淨，放入熱水中煮約5分
鐘，取出瀝乾。

3 大蒜剝皮，拍碎後切末，取少量和
毛豆仁加鹽拌勻，其餘蒜末和糖、
醬油和勻。

4 取出肩胛肉切薄片，與毛豆仁排
盤，淋上3的醬汁即可。

健康小站

也許，很多人都還不知道毛豆就是黃豆（大豆）的前身，這是有一回到東北長白山旅行，面對大豆田時才發現的事。現
代人，對農作物的了解幾近白痴的程度了！大蒜具有極佳的抗癌功能，用蒜泥來為菜餚調味，好吃又營養。至於白肉，
沒有採用傳統的油脂過高的五花肉，而改用香脆的肩胛肉，是不錯的選擇。這道雙拼，一綠一白，看來清爽宜人，沾醬
用白醬油會更美麗一些！

梅子排骨

■ 材料

子排半斤‧梅子10粒
調味料：白醋2大匙‧糖1大匙‧醬油2大匙

■ 作法

1 子排洗淨，放入熱水中川燙一下，撈起瀝乾。

2 將1和調味料及水一杯放入鍋中滷，以大火煮開後轉小火滷約25分鐘。將梅子去核，取肉放鍋中煮3分鐘即完成。

健康小站 ﹏

癌症，乃至於高血壓、痛風、高血脂患者，均屬酸性血液體質。梅子的功能便是淨化酸性血液，恢復成弱鹼性。不僅可以促進人體新陳代謝，還能養顏美容。因此，梅子是保健專家所推薦的食物。

百頁結燒肉

■材料

百頁結6兩‧梅花肉半斤‧胡蘿蔔1根‧蔥2株
調味料：醬油2大匙‧鹽半小匙‧糖1大匙

■作法

1 百頁結洗淨，梅花肉洗淨切大塊，胡蘿蔔
  削去皮後切塊，蔥洗淨後切小段。

2 將1加調味料與1碗水放入鍋中滷，以大火
  煮開後再轉小火煮約25分鐘即可。

黑豆燜肉

■ 材料

黑豆半斤‧梅花肉1斤‧洋蔥1個‧
大蒜2粒‧柳丁1個‧月桂葉3片
調味料：鹽2小匙

■ 作法

1 將黑豆洗淨，加水浸泡5小時。

2 梅花肉洗淨切塊，柳丁擠汁。

3 將所有材料和鹽加2碗水煮，以
大火煮開後轉小火煮約40分
鐘，即熄火。

美味關係

黑豆燜肉（FEIJOADA）被稱爲巴西國菜，是我的一位巴西好友瑞卡多介紹給我的。每逢周末，巴西人一定會伴著白飯
吃一整個下午，簡直是「一發不可收拾」。這道菜起源於巴西殖民地時代，當時的殖民者葡萄牙人，帶了許多奴隸前
來。這些奴隸的主食即爲黑豆，主人則將吃剩的各種肉類與黑豆一起混煮。隨著時間的演變，剩肉已改爲上好的肉類，
而過去奴隸的食物，也搖身一變，名列美食之林。黑豆、豬肉和各種調味料燜得又爛又香，十分美味可口。何況，黑豆
本身是優質的保健食品，它所含有的植物固醇、皂素、類黃酮和維生素E，具有抗老化和保護心血管的效果。

豬肝炒菠菜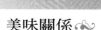

■ 材料

豬肝4兩‧菠菜6兩‧蔥2株

調味料：醬油1小匙‧鹽1小匙‧
太白粉1小匙

■ 作法

1 豬肝洗淨切薄片，加醬油與太
白粉和勻。

2 蔥洗淨後切蔥段，菠菜洗淨後
去掉根部，切段。

3 熱油鍋，先加入菠菜炒，加鹽
拌勻炒熟，先盛入盤中。

4 在熱好的油鍋中加入蔥段爆
香，接著加入豬肝以大火炒，
待豬肝熟後，盛在菠菜上即
可。

美味關係

小時候，豬肝是補品，生病時母親常強迫吃這種我稱之有泥巴味的食物。病後，是為了補血，
做好每次化療前的準備。至於菠菜，含有鐵質較多，也可補血。因此，這兩者便一直慣性地送
做堆了。有趣的是，有回收到一位男性讀者的來信，十分駁斥我吃豬肝的作法，認為肝臟司排
毒作用，怎麼可以吃這種具有毒性的東西呢？還謂：希望我這個老美女，不要死於癌症。的
確，現在豬肝的價格很賤，因為含有太高的膽固醇，人人避之。菠菜，則由於含有太多草酸，
不宜與高鈣食物一起烹煮。不過，豬肝菠菜仍不失為補血佳餚，可視情況選食。

蒜味牛排

■ 材料

腓力牛排1片・大蒜3粒・蔥3株

調味料：黑胡椒粒・醬油2大匙・糖1小匙

■ 作法

1 大蒜剝皮，切薄片，放入油鍋中煎香，至金黃色後取出放涼。調味料加2匙水，以小火煮勻即為醬汁。

2 蔥去頭鬚後洗淨，切細絲，放入油鍋炸做成炸蔥絲。

3 牛排放入鍋中煎至個人喜歡的程度，即可盛盤。先置上蔥絲，撒上蒜片，再沾醬汁食用。

美味關係

病後，朋友轉述了莊淑旂博士的一則故事。她談到一位有點年紀的癌症患者，每天都吃牛排，體力大增。但是，卻因為做身體檢查的緣故而斷了食，牛排送來時，他已不支倒地。牛肉的蛋白質比豬肉高一倍，而且與其他肉類比較脂肪最低，它比豬肉要低5倍。此外，牛肉脂的膽固醇低，胺基酸卻完全，豐富的鈣與磷有助修補身體組織。

蘿蔔紅燒牛腱牛筋

■ 材料

蘿蔔1根‧胡蘿蔔1根‧牛腱1條‧牛筋6兩‧蔥2株
調味料：醬油3大匙‧鹽1小匙‧糖1大匙

美味關係

這一道菜可謂是從小吃到大，營養豐富，爽口又美味。以前這道菜常用牛腩做，但是由於脂肪太高，而改用牛腱和牛筋來搭配白蘿蔔與胡蘿蔔。我的經驗是，人們第一愛吃蘿蔔，第二是牛筋，第三才是牛肉。因此在製作的時候，可以按嗜好調配一下分量。牛肉對健體強身大有裨益，而牛筋中的膠質也能補肝強筋。

■ 作法

1 蘿蔔與胡蘿蔔削去皮後切塊，牛腱、牛筋放入熱水中川燙，撈出以清水沖淨，蔥薑洗淨後切段。

2 將牛筋加3碗水煮開後，轉小火煮約20分鐘，再放入牛腱、蘿蔔與胡蘿蔔、蔥與調味料同煮，以大火煮開後轉小火煮約50分鐘即可。

空心菜炒牛肉

■ 材料

牛肉絲4兩‧空心菜半斤
調味料：沙茶醬1大匙‧醬油1大匙‧鹽半小匙‧太白粉1小匙

■ 作法

1 牛肉絲加醬油半小匙與太白粉和勻。

2 空心菜去粗梗，洗淨切段。

3 熱油鍋，放入牛肉絲炒，接著加入沙茶醬快速翻炒，盛盤。

4 空心菜放入油鍋中加鹽快炒，熟後盛盤，再放上3的牛肉絲即可。

美味關係

炒牛肉絲不像牛排那樣大塊文章，通常青椒或甜椒牛肉絲是不錯的搭配，香乾牛肉絲也是人們喜愛的家常菜，而且可辣可不辣，可視個人喜好和情況而定。這兒做的是一道空心菜牛肉絲，兩者先分開炒，牛肉絲用沙茶調味炒好，再放到菜上，十分開胃。再者，空心菜中含有纖維素、木質素、黑膠，能夠通便解毒，提高巨噬細胞能力，可以抑制甚至逆轉致癌物質的損害。

泰式檸檬魚

■ 材料

石斑 1 尾・香茅 1 根・香菜 3 株・大蒜 3 粒・辣椒 1 根・檸檬 1 個

調味料：鹽 2 小匙・魚露 1 小匙

■ 作法

1 石斑洗淨，背部劃斜刀，放入蒸鍋中蒸熟。

2 香茅切斜片，辣椒、香菜、大蒜洗淨後切碎末。檸檬切小片，另擠檸檬汁。

3 鍋中放入 1 碗水，放入香茅、大蒜末、辣椒末先煮。香味出來後，接著加入調味料與香菜煮，煮滾後淋在魚上即可。

美味關係

泰式料理裡面有一道精采的魚料理，便是檸檬魚。蒸過的細嫩的魚肉，配上清芳的檸檬草香料，爽口不膩，是夏日特別宜人的香氣。

大蒜馬頭魚

■ 材料

馬頭魚1尾‧大蒜20粒‧調味料：醬油2大匙‧鹽半小匙‧糖1小匙

■ 作法

1 大蒜剝皮，入油鍋炸至金黃色。

2 馬頭魚洗淨，拭乾放入油鍋中煎至雙面金
黃。再倒入1的大蒜，加調味料及2匙水
以小火煮，待大蒜軟透入味即可。

美味關係

爸爸最喜歡吃黃魚，家中每個星期五都是吃
魚的日子，大蒜黃魚是最尋常的吃法。曾幾
何時，已經很難買到較大的黃魚了，只剩下
小小條的。於是，發現馬頭魚恐怕是替代大
蒜黃魚最適合的了。不過，在做中西醫結合
治療的時候，黃魚和雞是大夫命我禁吃的食
物，這下可好，有了馬頭魚，我仍然可以吃
到神似大蒜黃魚的美味了。

紫蘇豆腐蒸魚

■ 材料

午魚1尾・豆腐1塊・紫蘇2片・嫩薑1段・調味料：醬油1小匙・鹽半小匙

■ 作法

1 午魚洗淨，去頭和尾部，剖成兩半。

2 嫩薑洗淨切細絲。紫蘇葉洗淨，捲成圓柱狀切細絲，豆腐切薄片。

3 將豆腐鋪盤，置上午魚片，撒上薑絲，淋上調味料，放入蒸鍋中蒸熟。要取出時再放入紫蘇葉蒸10秒鐘即可取出。

美味關係

這道菜很和風喔，用的都是健康素材，清淡中更可以嚐到食物的原味。至於調味料紫蘇，不僅具有特殊的芬芳氣味，也具有健胃和促進食慾的功能，以及解毒驅寒、發汗和治療傷風的作用。

味噌深海鱈魚排

■ 材料

圓鱈1塊・味噌醬1大匙
調味料：醬油1大匙・糖1小匙

■ 作法

1 將味噌醬加調味料拌勻。

2 圓鱈洗淨，用紙巾拭乾，放入
　　1中抹勻，約浸漬20分鐘。

3 將2的魚片上的味噌醬，用紙
　　巾拭淨，放入油鍋中以小火
　　煎，至雙面呈金黃色即可。

美味關係

味噌魚具有它獨特的迷人口味，
如果用對了魚，效果大增。舊金
山的艾蜜麗薇兒有家海景優美、
看得見金門大橋的東海餐廳，我
最欣賞的是他們用味噌做深海鱈
魚排。深海鱈魚肉質比一般鱈魚
要緊實，不是那麼稀鬆水水的，
吃起來格外滑潤香醇。

洋蔥鮭魚卷

■ 材料

鮭魚1段‧洋蔥半個

調味料：鹽1小匙‧黑胡椒粒1小匙

■ 作法

1 鮭魚洗淨去皮、骨和刺，然後切薄片。

2 洋蔥剝去外皮，洗淨後切絲，再用1的鮭魚片將洋蔥絲卷起，放入盤中。

3 蒸鍋加熱，放入2，撒上鹽，以大火蒸3分鐘，即可取出撒上黑胡椒粒食用。

美味關係

多次看見鮭魚從大洋中迴游故鄉溪流產卵的情景，十分感動。鮭魚簡直是一種靈肉都清純的魚！生魚片，當然美味；熱食的話，最忌肉質太老。用洋蔥搭配，點子不錯。洋蔥含有豐富的硒可以提高抗癌作用之外，好處多多。中醫認爲它有清熱、化痰、解毒、殺菌的功效；而西醫則將之列爲治療心血管疾病的藥物。此外，還可以利尿、解毒、幫助消化、抵抗老化。

紅糟魚片

■ 材料

紅糟醬1大匙‧紅魠魚6兩‧薑1段
調味料：醬油1大匙‧鹽半小匙‧糖1小匙

■ 作法

1 薑洗淨後拍碎。紅魠
洗淨，切薄片。

2 熱油鍋，加入薑爆
香，接著加入紅糟醬
以小火炒。炒至微焦
再加入魚片及調味
料、水1大匙同炒，
待魚片熟即可。

健康小站

紅糟具有活血化瘀的功
能，有利術後病人。此
外，它所含有的不飽和
脂肪酸有助降低血脂肪
與去除壞膽固醇的作
用。也許你還不知道，
紅糟是用一種麴黴科真
菌的菌種，在米飯內培
育而成的，是種健康食
品。

魚丁松子生菜鬆

■ 材料

紅魽魚片4兩‧松子1大匙‧蘿蔓葉2片‧小黃瓜半根‧紅椒1/8個
調味料：鹽1小匙‧胡椒粉少許

■ 作法

1 紅魽洗淨切丁，小黃瓜洗淨切小丁，紅椒去籽洗淨切小丁。

2 松子乾焗炒香，熱好油鍋後放入紅魽魚丁先炒，接著加入小黃瓜、紅椒丁，再加鹽炒至熟後盛出。

3 蘿蔓葉洗淨，盛在小盤上，置上炒香的魚丁鬆，撒上松子即可。

小魚莧菜

■ 材料

莧菜半斤．小魚3兩．大蒜2粒

調味料：鹽2小匙

■ 作法

1 莧菜去粗葉、梗，洗淨瀝乾，大蒜
剝皮、拍碎。

2 熱油鍋，加入大蒜爆香，接著放下
莧菜炒，加鹽燜熟。待莧菜熟再加
小魚煮滾即可。

健康小站

小魚的蛋白質很高，而且蘊含的鈣鐵
格外豐富。至於莧菜，也是優質的葉
菜，含有蛋白質、胡蘿蔔素、粗纖
維，以及多種維生素和礦物質。含鐵
量比菠菜多一倍，含鈣量是三倍，但
是由於不含草酸，因此鈣和鐵很容易
人體吸收。

蒜泥蝦

■ 材料

大蒜2瓣・劍蝦半斤・蔥2根
調味料：鹽1小匙・料酒1匙

■ 作法

1 劍蝦用剪刀剪去頭鬚、尾
刺後洗淨，剔除泥腸。

2 大蒜去皮並拍碎，蔥去除
根部並洗淨，切蔥末。

3 熱油鍋，加入大蒜爆香，
接著放入蝦以大火炒，加
入調味料。待蝦熟後加入
末炒勻即可。

江南蛤蜊蒸蛋

■ 材料

蛤蜊6個‧蝦仁少許‧筍絲1小匙‧
肉末1小匙‧香菇絲1小匙‧金針絲
少許‧蛋2個
調味料：鹽、糖、醬油各半小匙‧水
1碗半

■ 作法

1 蛤蜊浸水吐沙，蝦去泥腸後洗
淨，蛋打入碗中加1碗水打勻，
再用濾網過濾掉蛋渣與泡沫。

2 將蛋汁和肉末與調味料和勻，倒
2/3入碗中，覆上鋁箔紙。

3 蒸鍋水滾後放2進去蒸。約6分鐘
後，將另外1/3蛋汁加蛤蜊、蝦
仁、筍絲、金針絲拌勻，淋在已
蒸熟的蛋汁上繼續蒸約4分鐘，
熄火，再燜3分鐘即可。

健康小站

日本料理中的茶碗蒸堪稱味美了，但是以前老奶奶做的江南風蛤蜊蒸蛋才是極品。記憶中的美好滋味，試著拼湊起來，
應當是用蛤蜊湯打蛋，除了蛤蜊肉外，其他配料尚有香菇絲、金針絲、筍絲、肉末，再加點淡色醬油，一絕。

蝦子烏參

■ 材料

烏參2尾‧蝦子粉1大匙‧蔥10根‧調味料：醬油2大匙‧糖1小匙‧鹽半小匙‧橄欖油1大匙

■ 作法

1 烏參洗淨去腸肚，放入熱水中川燙一下，去腥。

2 蝦子入乾鍋炒香，取出備用。蔥去除根部並洗淨，切大段。

3 將1、2加調味料及水1碗，以大火煮開後轉小火煮約20分鐘。待烏參軟透即可盛盤，蔥段亦可食用。

美味關係

東北人愛吃海參，大多採用配料去燴，做法並不高明。有回，和其他五名作家與教授到大陸訪問，尤其是陳若曦對餐餐海參十分不喜。可是，江南風味的大烏參就不一樣了。不過這道菜要做得好真不易，海參要好，蔥味要出來，才能除腥。滑軟嫩肥充滿膠質的海參，上面沾著細成小顆粒狀的蝦卵，真是上上佳餚。非常懷念紐約中國城裡四五六餐廳裡的這道菜，還沒見到與之倫比的。

蘆筍干貝

■ 材料

干貝4兩·蘆筍6兩·嫩薑2片
調味料：鹽2小匙

■ 作法

1 干貝放入熱水中川燙一下，蘆筍去粗頭部後洗淨，切段。

2 嫩薑片切碎末。

3 熱油鍋，蘆筍段與薑末加1匙水炒。待蘆筍熟後再加入干貝與鹽，即可迅速起鍋，以免干貝變老。

健康小站

罹患癌症以後，許多健康食品的訊息從四面八方來到我手中。其中也有訊息指出蘆筍在治療癌症方面成果優異。的確，查證資料蘆筍富含 β-胡蘿蔔素、鐵、維生素C·E，是很好的抗氧化食物，也是防癌聖品。綠綠的新鮮蘆筍搭配白嫩的干貝，嬌翠欲滴。

青蒜鮮蚵豆腐鍋

■ 材料

鮮蚵8兩‧青蒜1株‧豆腐半盒
調味料：鹽2小匙

■ 作法

1 青蒜去根鬚後洗淨，切小丁。
鮮蚵挑去雜質，以水沖洗後瀝
乾。豆腐切成小塊。

2 鍋中放入3碗高湯煮，煮滾後
加入豆腐、鮮蚵、青蒜，待煮
熟後加鹽調味，即可起鍋。

健康小站

本道湯可以增強免疫系統、抗衰
老、抗病毒，可以防治攝護腺疾
病，維持 ⋯⋯ 鹼性平衡。

大蒜雞煲

■ 材料

雞腿1隻‧大蒜20粒
調味料：醬油2大匙‧糖2小匙‧鹽1小匙

■ 作法

1 大蒜剝去外皮，放入油鍋中炸至金黃色。

2 雞腿洗淨後切塊，放入炒鍋中炒香，再加入1、調味料與半碗水煮。待雞塊熟且大蒜變軟，再開大火收汁即可。

美味關係

土雞城裡的三杯雞十分受到吃客的歡迎，這道大蒜雞煲口味有過之而無不及。然則，用大蒜來烹製，營養價值就不一樣了。首先大蒜是抗癌之王，因為蒜中含有鍺和硒的成分。此外，大蒜尚具有殺菌、解毒、利尿、止瀉、降壓、止血的功能可以降低膽固醇和血脂，對心血管疾病也有預防保健功能。

健康小站

生病後，五年以來，我個人在醫生的叮囑下是不吃雞的，因為跟荷爾蒙和生長激素有關。但是，正常人和非婦科或生殖系統癌症的人，當無大礙。雞肉含蛋白質、脂肪、維生素A‧B群、菸鹼酸等營養，營養價值很高。另外，雞性溫，具有畏寒虛弱症狀的人適宜吃雞肉，上火的人則不然。

Part5
麵、飯15道

韓式拌飯

■ 材料

糙米1杯‧胡蘿蔔半根‧黃豆芽2兩‧海帶茸2兩‧菠菜2兩‧蛋1個‧大蒜1粒‧泡菜1大匙

調味料：鹽2小匙

■ 作法

1 糙米淘淨後浸泡3小時，放入瓦鍋中加1杯半水放在瓦斯爐上煮。

2 胡蘿蔔削皮，放入水中煮熟，取出切細絲。黃豆芽放入炒鍋中加鹽炒熟，海帶茸加大蒜末與鹽炒熟。菠菜放入熱水中川燙，取出瀝乾，切段，加鹽拌勻。

3 蛋打入鍋中煎荷包蛋。

4 將2、3及泡菜依序排在1的飯上，食用時再拌勻吃即可。

黃豆糙米飯

■ 材料

黃豆2兩‧糙米1杯

■ 作法

1 黃豆洗淨，加水浸泡一晚。

2 糙米洗淨，再加入浸泡好的黃豆，加1杯半的水入電鍋中，外鍋放2杯水煮，待電鍋跳起即可。

番茄蛋包飯

■ 材料

番茄1個・蛋1個・洋蔥1/6個 ・
肉末2兩・白飯1碗

調味料：番茄醬1大匙・鹽半小匙

■ 作法

1. 番茄背部劃十字，放入熱水中川燙，取出後去皮並切小丁。

2. 洋蔥洗淨切小丁，蛋去殼放入碗中打勻。

3. 將蛋入鍋中煎蛋皮成圓型，盛在盤中。熱油鍋，加入洋蔥末爆香，接著加入肉末炒香，再加入白飯、調味料及番茄丁炒。待炒勻後，置於蛋皮上，將另一面翻起，再淋上少許番茄醬即可。

美味關係

對於在台南成長的孩子而言，沙卡里巴夜市的美好記憶總會不時浮現。忘不了那兒的醬油番茄，也忘不了美味的番茄蛋包飯。年輕敏感的舌蕾，很輕易就被這樣單純營養的食物滿足了。我想，不僅是懷舊，這道主食依然值得捲土重來。

鮭魚飯糰

■ 材料

白米1杯‧鮭魚片1小片

調味料：鹽1小匙‧黑胡椒粒半小匙

■ 作法

1 白米洗淨放入電鍋中煮。

2 鮭魚片洗淨，待1電鍋跳起來
後，再加入鮭魚片置於飯上再蒸
熟。

3 將鮭魚的皮、骨、刺挑淨，將魚
肉與飯及調味料和勻，用手捏成
飯糰即可。

發芽米豆皮壽司

■ 材料

發芽米1杯 · 豆皮壽司6張 · 黑芝麻1小匙
調味料：白醋1大匙 · 白糖1大匙

■ 作法

1 發芽米加1杯水，放入電鍋中煮熟，取出加醋和糖和勻，放涼即為壽司飯。

2 將1再塞入豆皮中，排盤撒上黑芝麻即可。

大蒜麵包 ❧

■ 材料

奶油2小匙・大蒜5粒・巴西利葉粉少許・法國麵包切片2片

調味料：鹽少許

■ 作法

1 大蒜剝去外膜並洗淨，以磨泥器磨成泥。

2 將奶油、蒜泥、巴西利葉和鹽和勻，即成塗醬。

3 把塗醬塗在麵包上，放入烤箱烤至香味四溢即可。

全麥餅卷 ❧

■ 材料

全麥餅1張・苜蓿芽、蕎麥芽、豌豆苗、葵花苗、蘿蔔嬰、紅豆苗各少許・杏仁、核桃、松子、葵花子、腰果、南瓜子各少許

■ 作法

1 各種堅果以塑膠袋裝好，用刀柄敲碎。

2 全麥餅用鍋蒸軟，放涼後鋪上所有芽菜，撒上1，捲成圓柱狀，切成大段食用即可。

番茄豬肉餃子

■ 材料

絞肉10兩‧中型番茄5個‧蝦仁4兩‧薑末、蔥末適量‧水餃皮1斤
調味料：鹽、糖、香油、胡椒、太白粉、酒各適量

■ 作法

1 番茄先用滾水燙過，剝皮去子，切丁，備用。

2 蝦仁洗淨，去泥腸，壓成蝦泥。

3 絞肉加薑末、蔥末、鹽、糖、香油、胡椒、太白粉、酒、蝦泥，充分攪拌。

4 取1/4的1和1/4的3混合成水餃餡料。

5 取水餃皮1張，將餡料置於皮中間，兩邊對折壓緊，動作要快。餡料包完後重複4的步驟和餡料，繼續迅速包好水餃。

6 因為番茄很容易出水，不好包，包好要快速放入冷凍室冷凍，否則皮易沾黏。

美味關係

生病化療期間，胃口奇差，食不下嚥，看到食物都想落淚。但是，卻想吃番茄餃子。餃子，在台灣雖然很普通，然而餡的種類實在是太過寡少。去品嚐過西安餃子宴的人，當知道餃子有上百種品類；而去過東北的人，老邊餃子館的餃子，口味多，也實在。其中，印象深刻的是番茄餃子。好友北朗特地請店家做來，後來我們也學會自製了。除了番茄餃子之外，這兒特別提示一下：胡蘿蔔牛肉餃和洋蔥牛肉餃，也都是十分高營養又美味的速配喔！

義式茄汁海鮮麵

■ 材料

番茄2個‧義大利麵2卷‧淡菜3個‧蝦2兩‧大蒜2粒
調味料：番茄醬1大匙‧鹽半小匙

■ 作法

1 番茄去蒂洗淨，背部劃十字，放入熱水中川燙，取出後去皮並切小塊。

2 蝦去殼與泥腸後洗淨，義大利麵放入熱水中煮熟。

3.大蒜剝去外皮，拍碎。

4 熱油鍋，放入大蒜爆香，接著放入番茄以小火炒。再放入淡菜、蝦仁，加入
調味料與2大匙水煮，待番茄軟透，再放入煮好的麵條，待和勻入味即可。

青醬麵

■ 材料

義大利長麵1小把．九層塔4兩．松子1兩．橄欖油2大匙．大蒜3大粒
調味料：鹽1小匙．黑胡椒粒1小匙

■ 作法

1 九層塔挑去粗梗，洗淨，拭乾。大蒜剝去外皮，切丁。松子乾焗炒香，待涼。

2 將1加橄欖油與調味料，放入果汁機中打勻，盛碗中為醬汁。

3 義大利麵放入熱水中煮，待熟後取出，加2的醬汁和勻即可。

墨魚汁麵

■ 材料

墨魚汁1粒‧義大利麵1小把‧大蒜2粒‧軟絲半尾
調味料：鹽1小匙

■ 作法

1 義大利麵放入熱水中煮熟，大蒜剝皮切碎末，軟絲洗淨切成圓圈狀。

2 熱油鍋，放入蒜末炒香。接著放入墨魚汁以小火炒，再放入煮熟的義大利麵與軟絲及鹽炒熟即可。

菠菜涼麵 ﾟ

■ 材料

菠菜麵1把 · 蛋1個 · 小黃瓜半根 · 肉絲2兩 · 蔥2株
調味料：糖半小匙 · 鹽1/4小匙 · 醬1大匙

■ 作法

1 菠菜麵放入熱水中煮熟，取出放入冰水中浸泡一下，保持其 Q度，取出瀝乾。

2 蛋打勻，倒入鍋中煎蛋皮，取出切成蛋絲。小黃瓜洗淨切細絲。肉絲放入熱水中川燙一下，取出加少許鹽拌勻。

3 蔥去除根部，洗淨後切蔥末，加調味料拌勻即為醬汁。

4 將涼麵置碗中，置上蛋絲、黃瓜絲、肉絲，搭配醬汁食用。

蕎麥麵 ﾟ

■ 材料

蕎麥麵1把 · 蛋1個 · 小黃瓜半根 · 蔥2株
調味料：糖半小匙 · 鹽1/4小匙 · 醬1大匙

■ 作法

1 蕎麥麵煮熟後取出，放入冰水中浸泡一下，保持其Q度，取出瀝乾。

2 蛋打勻，倒入鍋中煎蛋皮，取出切成蛋絲。小黃瓜洗淨切細絲。

3 蔥去除根部，洗淨後切蔥末，加調味料拌勻即為醬汁。

4 把蕎麥麵搭配蛋絲、黃瓜絲、醬汁食用。

蔥開煨麵

■ 材料

開陽1小匙・青江菜2株・陽
春麵1球・蔥2株
調味料：鹽1小匙

■ 作法

1 蔥洗淨切末，青江菜洗淨
切碎。

2 陽春麵先放入熱水中煮
滾，取出備用。

3 熱油鍋，放入蔥與開陽爆
香，加入3碗水煮。滾後
放入青江菜末、陽春麵，
以小火煮，加鹽調味，約
煮15分鐘。待麵軟透，入
口即化，即可盛起。

美味關係

做過病人，因此了解腸胃對稀軟食物的需求。煨麵的特點便是軟滑適宜入口和腸胃的消化吸收。蔥開指的是長蔥和開
陽，這道麵食的調味材料其實和菌尤相像，不過加了青江菜。爆香的蔥花和蝦米丁，使麵和青菜入味。在整本食譜中，
我們強調的都是新鮮食材，然而蝦米是再製品，會含有少量的亞硝胺。不過，少少的量用來提味，為了增進食慾，在某
些特殊情況下，也就破了例。

哨子麵

■ 材料

絞肉3大匙・韭菜丁2碗・拉麵4球・
油豆腐皮或豆乾4塊切丁
調味料：花椒、辣椒粉各1大匙・
蔥、薑切末・糖少許・鹽2茶匙・醋
3大匙・水4大碗・油3大匙

■ 作法

1 先溫油，慢慢炒香花椒至香味四
   溢，花椒變黑後取出。

2 再用花椒油炒香辣椒粉。

3 加入絞肉炒香，取出。

4 以原鍋炒豆皮丁、蔥，加水或高
   湯4大碗煮滾，再加韭菜丁、薑
   末、糖、鹽醋調味。

5 再加入3煮滾即是哨子湯。

6 用另一只鍋子煮水燙麵，取出
   麵，淋上5，又麻又辣又香的哨
   子麵即完成。

美味關係

這道麵食中，用了五菜中的三味——蔥、薑，以及大量的韭菜。再加上花椒香、辣椒粉和醋，可真是夠味！在我們推出
的食譜中，少有辛辣，以避免刺激腸胃。但是一道咖哩菜、沙茶菜和這哨子麵是為了提振食慾偶一為之。何況，這道麵
食中的花椒和辣椒粉可以按自己的口味的輕重酌量。

知道我們家中吃哨子麵，竟有人問：是否吃了會吹哨子？吹哨子雖不至於，辣極了，呵氣倒是真的。這可是陝西岐山的
特別風味喔！

Part6
沙拉 10 道

梅汁小番茄

■ 材料

小番茄4兩·梅子3粒·梅醬汁1大匙
調味料：鹽1/4小匙·糖1/4小匙

■ 作法

1 將小番茄洗乾淨，背部劃十字放
入熱水中川燙，取出浸冷水剝去
皮，瀝乾。

2 梅子去籽，切小丁。

3 將1、2加梅醬汁與調味料拌勻，
醃漬20分鐘即可。

■ 廚藝叮嚀

首度在台北亞都飯店的天香樓吃到梅汁番茄這道冷前菜時，頗為驚豔傾心。我們這道菜是改良式的，為了增加番茄的營
養價值，我們用小番茄加熱去皮。不僅如此，賣相也更為美麗動人了！

蘆筍沙拉

■ 材料

蘆筍5根・蛋1個
調味料：鹽1小匙・橄欖油1大匙

■ 作法

1 蘆筍去粗頭部，洗淨後放入熱水中加
調味料川燙，取出切大段。

2 蛋煮成白煮蛋，煮熟後去殼，用手剝
碎。

3 將蘆筍排盤，撒上碎蛋即可。

山藥枸杞沙拉

■ 材料

山藥1小段・枸杞2錢

■ 作法

1 將山藥削皮，切薄片，加入冰水中浸泡一下。

2 枸杞以清水沖淨，加熱水一小匙泡軟。

3 將1取出瀝乾排盤，淋上枸杞及少許枸杞汁即可食用。

健康小站

在我們的食譜中，中藥材用的不算多。山藥在我們其他菜式中也出現多次，在此特別介紹。山藥又名淮山，營養豐富，中醫認為有養肝明目、健脾補肺、固腎益精、滋養美顏的功效。其特點是含有多種酵素，具有解毒作用。至於枸杞，是食補中的常客，可以調節免疫功能、保肝和抗衰老。在這兒叮嚀一句，用山藥枸杞同樣的食材，也可以做成甜湯。

海帶芽魚卵沙拉

■ 材料

海帶芽2兩‧大蒜1粒‧鮭魚卵1大匙
調味料：醬油1小匙‧醋1小匙‧糖1/4小匙

■ 作法

1 海帶芽以清水沖淨，放入熱水中川燙一下，放涼。

2 大蒜剝皮後剁成泥，加入1及調味料拌勻，再放入鮭魚卵攪拌即可。

生菜沙拉

■ 材料

蘿蔓2葉‧小彩椒2個‧小黃瓜1根‧苜蓿芽少許‧胡蘿蔔少許‧比利時小白菜3葉‧蘑菇2朵
調味料：優格醬

■ 作法

1 蘑菇和胡蘿蔔洗淨切薄片，甜椒洗淨切圈狀，小黃瓜洗淨斜切薄片。

2 將所有生菜排盤，食用時淋上優格醬汁即可。

健康小站

就是愛死沙拉了！住在美國的時候，沙拉經常成為我的正餐。舊金山的柏克萊大學城裡有家沙拉店，食材豐富至極的一大盒沙拉，看了都過癮，分量可以吃兩餐。我們的沙拉也是擷取了生菜精華，用了蘿蔓、番茄、小黃瓜、彩椒、蘑菇、苜蓿芽、胡蘿蔔和比利時小白菜，而且沾醬用的是健康的優格醬汁。

菠菜沙拉

■ 材料

番茄2個‧菠菜2株‧大蒜2粒
調味料：白醋1大匙‧鹽1/4小匙‧黑
胡椒粒半小匙‧橄欖油1大匙

■ 作法

1 番茄洗淨去蒂，整粒切薄片排
盤。

2 大蒜剝皮後切碎末，加入調味料
拌匀。

3 菠菜去粗梗，葉片撕作大塊狀，
洗淨瀝乾，加入2和匀，置於1上
即可。

美味關係

台灣的沙拉風雖然很盛，可是對菠
菜沙拉似乎是緣份未到。對於我個
人而言，是十分鍾情這道菠菜沙拉
的。菠菜用莖葉部分，煮的蛋切
片，再撒上一點點培根末，是傳統
作法。爲了健康，我們改用番茄
片，而不用蛋和培根。風味特殊的
是橄欖油、醋和蒜的醬汁味絕佳，
如果再加點薑末，就更夠味了。

鮪魚沙拉

■ 材料

鮪魚罐1罐‧洋蔥半個‧芹菜兩棵
調味料：鹽1/4小匙‧美乃滋適量

■ 作法

1 洋蔥去皮洗淨後切小碎丁。

2 芹菜去葉，根部洗淨大丁。

3 將鮪魚和1、2及調料和勻即可。

水果蝦沙拉

■ 材料

蝦6兩‧蘋果半個‧生菜葉6
片‧奇異果1個‧木瓜1/4個‧
櫻桃1粒
調味料：美乃滋少許

■ 作法

1　蝦去殼與泥腸後洗淨，背
　部用刀劃開，放入熱水中
　煮熟，取出瀝乾。

2　蘋果削皮去子，切塊後放
　入鹽水中浸泡一下，取出
　瀝乾。

3　奇異果剝皮切丁，木瓜削
　皮去子後切大塊。

4　將生菜葉鋪底，放上水果
　及蝦球，淋上美乃滋即
　可。

健康小站

蝦，維生素A很多，而且富含的蛋白質比豬瘦肉多20％，脂肪含量卻少40％，是十分
理想的高蛋白、低脂肪的營養食物。

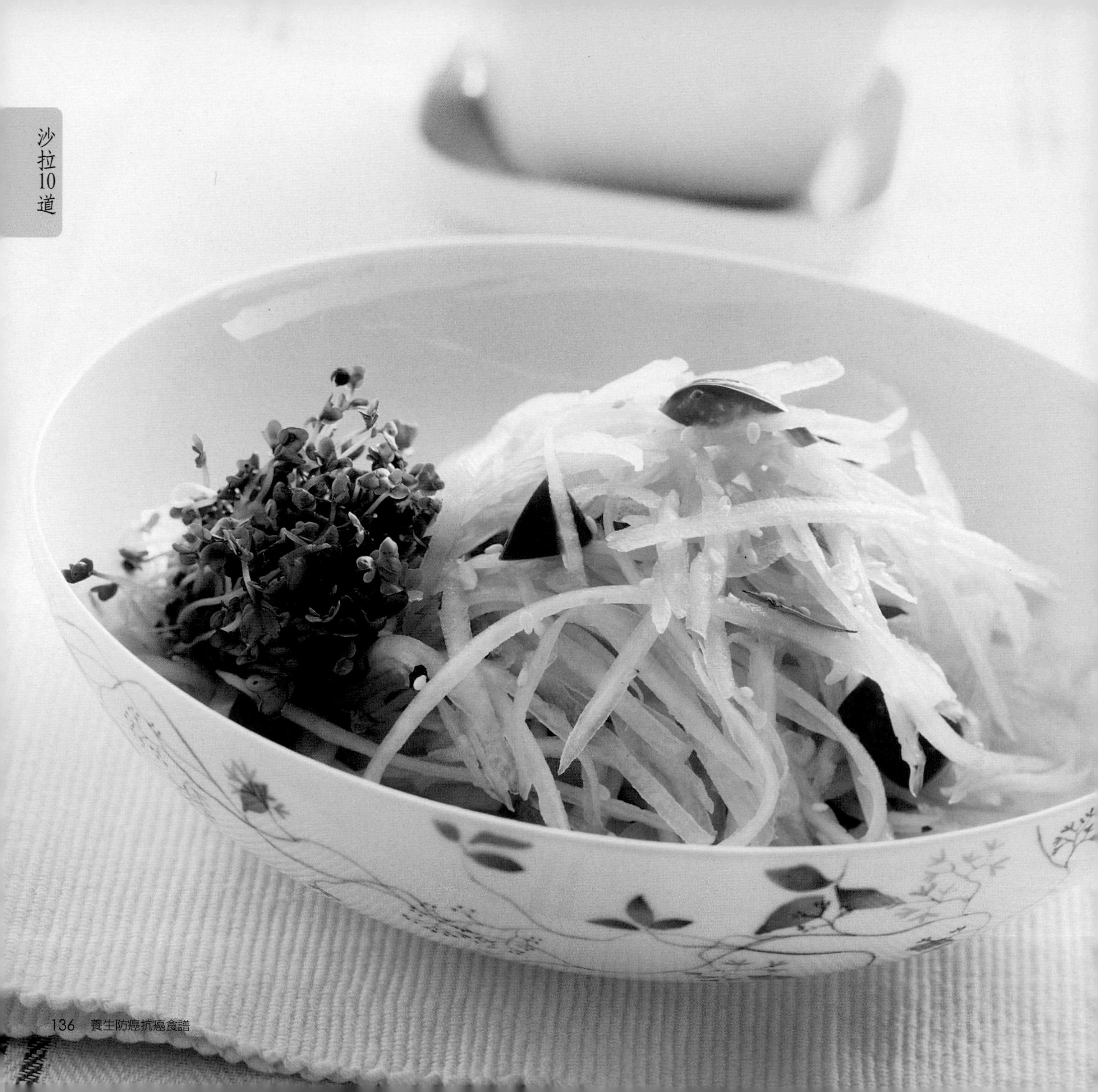

青木瓜青花椰菜芽沙拉

■ 材料

青木瓜1個‧青花椰菜芽3兩‧小番茄3粒‧大蒜末1茶匙‧辣椒末1茶匙‧芝麻1茶匙‧
九層塔少許

調味料：魚露2大匙‧檸檬汁4大匙‧糖1大匙‧果汁3湯匙（柳丁汁或百香果汁皆可）

■ 作法

1 青木瓜削皮去子，刨成絲。青花椰菜芽洗淨，九層塔洗淨切絲，小番茄對切成4瓣。
　　將以上材料混合裝盤。

2 將所有調味料加大蒜末、辣椒末混拌成醬汁。

3 將2淋1上，再撒上芝麻，這道簡單又可口的健康冷菜就完成了。

健康小站

青花椰菜在芽菜的狀態下，抗癌成分最高，是了不起的防癌抗癌食品，味道吃起來也很
清香甘甜。配上南洋風味的青木瓜絲沙拉一起吃，風味絕佳。再者，青木瓜的木瓜酵素
作用比熟的木瓜要強上好幾倍呢！

納豆和風沙拉

■ 材料

明日葉適量・玉米1段・秋葵3根・納豆2大匙・山藥1段・紅甜椒（小）1個

調味料：醬油1大匙・糖半小匙・柑橘汁1大匙

■ 作法

1 明日葉洗淨瀝乾，紅甜椒洗淨切圓圈狀。

2 玉米段與秋葵洗乾淨，放入熱水中川燙，取出玉米段切薄片，山藥則去皮切薄片。

3 將納豆及所有食材排盤，調味料加2大匙水和勻為醬汁，食用時沾醬即可。

健康小站

日本人是長壽的民族，這和多吃豆類食品有關。在風行一時的《腦內革命》這本書中，特別強調納豆的好處。

Part7
甜點 10 道

藍藻優格

■ 材料

藍藻粉1小匙‧優格1小杯

■ 作法

1 將優格倒入碗中。

2 撒上藍藻粉，拌勻即可食用。

美味關係

這養成吃優格的習慣很久了，居住美國的時候，在各種品牌中篩選出兩種自己喜歡的牌子。回台以後，口味變淡，放棄了以前常吃的有果實粒的草莓、桃子、鳳梨優格，而改吃原味優格。有段時間，還用菌種自製優格。後來，吃到了「青春之泉」餐廳老闆吳謙信工廠做的製品後，就愛上了他們的口味。

優格可以搭配各種新鮮水果之外，怕酸的人可以加一點點蜂蜜。此外也可加上麥片、全穀片、堅果，同時，搭配各種營養粉也是不錯的主意，例如素食三寶的卵磷脂、小麥胚芽衣、啤酒酵母粉，以及五穀粉、亞麻子粉、小麥草粉、藍藻粉等等。

在這兒特別要力薦藍藻，也就是螺旋藻。它是藻類中的翹楚，不僅是 β 胡蘿蔔素含量最高的食物，而且並含有大量的 SOD，二者均是強力抗氧化劑。螺旋藻富含蛋白質，比大豆多兩倍、比牛肉多三倍半，而且含有八種必需胺基酸。由於螺旋藻是維生素和礦物質的寶庫，可以增強T細胞、NK細胞、巨噬細胞的攻擊力，具有超強的抗癌力。更重要的是螺旋藻的細胞壁極薄，對男女老幼，未病或已病的人都是理想的營養補充品。

水果堅果蜂蜜鬆餅

■ 材料

鬆餅1個‧奇異果1個‧鳳梨1/8個‧木瓜1/3個‧蘋果半個‧櫻桃1粒‧南瓜子、杏仁片、核桃、松子各1小匙

調味料：蜂蜜或楓糖漿1大匙

■ 作法

1 將水果洗淨切薄片。

2 堅果放入塑膠袋中略為敲打成粗顆粒。

3 將1置於鬆餅上，淋上蜂蜜，撒上堅果碎粒，再擺上一顆櫻桃即完成。

美味關係

住在紐約格林威治村的時候，常常喜歡散步到SOHO區去吃這道美味的優格「早午餐」。一個剛烤好的鬆餅上，堆著蘋果、奇異果、鳳梨、草莓、藍莓、香蕉、櫻桃等季節性水果之外，還撒下各種堅果混合的碎末。上面再澆下一杯優格，煞是美豔動人。如果愛甜，可以再淋上一點蜂蜜或者楓漿便可。

綠茶凍

■ 作法

1 綠茶粉加熱水沖開，放入果糖攪拌。

2 吉利丁加冷開水1大匙和勻。

3 趁1還熱時加入2拌勻，倒入模型中，待涼即可。

■ 材料

綠茶粉1大匙．調味料：吉利丁1小匙．果糖1小匙

巧克力蛋糕

■ 材料

低筋麵粉100公克．可可粉25公克．蛋5
個．細砂糖125公克

■ 作法

1 將烤盤抹上奶油，並均勻撒上少許高筋
麵粉，再將多餘麵粉倒出。

2 將蛋及細砂糖用打蛋器打發，蛋液須打
至原體積高的2至3倍。

3 將可可粉與麵粉分3次篩入蛋液中，以
橡板刮刀充分拌勻成麵糊。

4 將麵糊倒入模型中，放置烤箱下層，以
170℃烤約25分鐘，以小叉插入不沾沾
即可出爐，放至鐵架上倒扣冷卻。

健康小站

巧克力本身含有可可成分，這種甜品具有可以使人情緒轉佳的作
用。因為它可以提高腦內血清素（Serotonin）的濃度，血清素越
多快樂。心情不好時，吃塊巧克挺有用。但是，對一般人而言，
巧克力熱量太高，如用梅子、番茄、鳳梨、胡桃代替也有相同功
能。至於病人用來增加體重，轉換心情當然是利多的了！

銀耳蓮子紅棗湯

■ 材料

銀耳1大匙‧蓮子2兩‧大棗2粒
調味料：冰糖1大匙

■ 作法

1 銀耳放入水中泡軟，去蒂切小
塊後沖乾淨。

2 蓮子和大棗洗乾淨，加1及4碗
水煮，以大火煮開後轉小火煮
約20分鐘，加冰糖調味即可。

美味關係 ～

西安有一條棗街，從大到小的紅
棗堆積如山，我們這兒就用西安
大棗做甜點。大棗可以益氣補
虛，有益脾胃；至於銀耳則可滋
陰潤肺，延年益壽；另一味蓮子
則可去熱止渴，安神去躁，是一
道溫和順口的甜點。

綠豆薏仁湯

■ 材料

綠豆半斤‧薏仁4兩‧調味料：冰糖適量

■ 作法

1 將薏仁與綠豆洗淨，綠豆先泡水1小時，薏仁泡水2小時備用。

2 將1和6碗水同煮，以大火煮開後轉小火，煮40分鐘再倒入冰糖拌勻。

3 冬天烹煮時，可以將綠豆改為紅豆。

健康小站 ∼

薏仁本身的營養價值很高，在中國和日本更是常用的漢藥材。在近代醫學研究中，證實了薏仁中含有抗腫瘤的薏仁脂（coixenolide 38H70O4），以及新的抗菌物質（coixindens）。至於綠豆中含有大量的蛋白質，有易吸收不脹氣的特點。尤其綠豆芽的維生素B17，為乾種子之三十倍之多，多吃可預防癌症。

紫米白玉桂花粥

■ 材料

紫米1杯‧小湯圓半碗‧桂花1小匙
調味料：冰糖1大匙

■ 作法

1 紫米洗淨，加3碗水煮粥，以大火煮開後轉小火煮25分鐘，加冰糖和勻，熄火。

2 小湯圓放入熱水中煮熟，撈出放入1中，食用前撒上桂花即可。

健康小站 ∼

紫米具有補血的作用，促進血液循環，有益腎氣。白玉也就是糯米小圓子，以前在台中市場聞名的小白兔蜜豆冰，小白兔便是小圓子的暱稱。糯米雖有脾胃之穀的美稱，但和紫米一樣難消化，不宜多吃。在消化力正常的時候，這道甜點在配上桂花香味之後，更是色香味全備了。

貝母棗梨湯

■ 材料

川貝母1小匙・梨1個
調味料：冰糖1小匙

■ 作法

1 梨洗淨後削皮去籽，切大
　塊。

2 將貝母、冰糖、梨塊放入
　碗中，放入電鍋中蒸煮。
　外鍋放入2杯水煮，待電鍋
　跳起後即可。

健康小站

一看就知道是一道清爽的甜
湯。在容易發生感冒的季節
裡，這是一道可以預防感冒，
鎮咳止喘的上好甜點。喜歡上
KTV的人，更可用來美化嗓
音。這道湯，久燉之後味道更
為清香甜美。

豆腐漿花

■ 材料

豆腐1/4盒・豆花半碗・豆漿300C.C.・調味料：冰糖2小匙

■ 作法

1 豆漿加冰糖煮勻。

2 豆腐切小丁，放入1中加熱，盛入碗中，再放入豆花即可。

美味關係

這道點心可甜可鹹，可熱可冷。吃鹹的話，可加鹹豆漿的作料。將大豆製品的嫩豆腐、豆花、豆漿一家子親聚在一起，同碗端上桌，這個主意不錯吧！

酒釀抹茶冰淇淋

■ 材料

酒釀2大匙 · 抹茶冰淇淋2球

■ 作法

1 將酒釀瀝乾去汁，放入杯中。

2 將抹茶冰淇淋放在酒釀上即可。

廚藝叮嚀

雖然抹茶冰淇淋本身就是美味的甜點，而且綠茶又有防癌抗癌的保健的好處，但用酒釀來墊底，可謂是因緣和風味殊勝了。用酒釀微微的酸去中和冰淇淋的甜，再冰淇淋用酒味去烘托，有點類似蘭姆葡萄乾冰淇淋的韻味，可謂是別出心裁。多了一點新鮮感和變化，這道甜點就有點神奇了。

水果

蘋果

蘋果的營養價值和療效備受推崇。蘋果含有豐富的果膠，可以軟便，幫助排泄，同時又有吸收細菌、毒素及保護腸壁的作用。蘋果含有的蘋果酸、枸櫞酸、鞣酸等多種有機酸，亦可刺激腸道促進排便，所以它也是一種對便秘有防治效果的食物。蘋果含維生素A、B1、B2、C，亦含有多種礦物質鈣、磷、鉀、鐵，尤其鉀的含量頗高，常吃有降血壓的效果。

鳳梨

鳳梨含有豐富的葡萄糖、果糖及各種有機酸，最重要的是鳳梨中含有蛋白質分解酵素，可將蛋白質分解成胺基酸而提高吸收、利用率，並有加強體內纖維蛋白的水解作用，能夠把阻塞於血管和器官組織內的纖維蛋白和凝血塊溶解、清除，對於腦血栓患者也有效用。

奇異果

奇異果的維生素C含量在水果中屬佼佼者，比起柑桔類水果高出5至10倍之多。奇異果能夠防止亞硝酸的產生，亦能降低血液中膽固醇及三酸甘油脂的含量，因此對消化道癌症、心血管疾病與尿道結石都有很好的防治效果。

木瓜

木瓜含有相當豐富的維生素C，以及大量的木瓜酵素。木瓜中有一種蛋白質分解酵素，已經被單獨抽取出來作為胃病的食療保健品。另外，還有脂肪分解酵素可將脂肪分解為脂肪酸，有利於人體對脂肪的消化和吸收，因此常吃木瓜對消化不良和胃疾有極佳的防治效用。木瓜酵素在生木瓜的作用較強，愈成熟其活性的愈低，若要攝取其酵素，可以食用青木瓜。

葡萄

葡萄濃郁甘味是由果糖及葡萄糖所形成，特殊芳香則是由酒石酸、檸檬酸、蘋果酸、枸櫞酸形成；這些有機酸不僅能夠刺激大腸蠕動、促進排便，而且還可以把葡萄糖轉化為熱能，將多餘的糖份完全代謝掉。葡萄中多量的果膠亦有軟便的效果。葡萄還含有卵磷脂，與酸乳酪搭配能迅速消除便秘，還可降低血液中膽固醇的含量。

櫻桃

櫻桃的含鐵量居水果之首，比蘋果和梨高20到30倍，維生素A又比蘋果、葡萄高4至5倍，還含有檸檬酸、鈣、磷、胡蘿蔔素及維生素B1、B2、C等，多食用櫻桃可補血及幫助腸胃功能。

桃子

桃子含有β胡蘿蔔素、維生素B1．B2、C、磷、鐵、鈣、纖維素等，是營養豐富的水果，尤其是β胡蘿蔔素與維生素C對抗癌很有幫助，加上纖維素能促進排便，對預防大腸癌也有裨益。

西瓜

含有利尿元素基、酸檸檬黃素，能將鹽分順利排出體外。具有利尿、解渴、生津、消暑、去燥的功能。

草莓

草莓富含維生素C，是水果中的「C女王」。每天只要吃五個，即可提供人體所需的維生素C，對抗氧化很有功效。

芭樂

營養價值極高，含膳食纖維、醣類、維生素A．B．C．磷、鉀等，就維生素而言，比柑橘類多三倍，是人體攝取維生素C良好的來源，而其中的鉀、磷可強化骨骼。

柳丁

柳丁能生津止渴解燥熱、疏肝理氣。它的營養成分有膳食纖維、維生素A．B．C、磷、蘋果酸等，而富含的維生素C，具保護細胞、增強白血球活性、抗氧化的功效。

柑橘

柑橘含豐富的維生素C，能夠降低體內的致癌物質亞硝酸胺。另有研究發現，柑橘中的果膠與內膜上的絲絡狀纖維可降低血液中的膽固醇含量，因此常吃柑橘也有防治動脈硬化的療效。

檸檬

檸檬汁含檸檬素、鞣質和維生素A、B、C等，檸檬有助於人體的血液循環以及鈣質的吸收，並具有抗氧化作用抑制自由基作用。若因缺鈣而有骨質疏鬆症的人，亦可多喝檸檬汁，也可獲得改善。

柚子

柚子中含有膳食纖維、醣類、維生素B．C、果膠、鉀、鈣、磷等成分，還有一種類似胰島素的成分，可降低血糖，是糖尿病人的首選水果。在日本的雜誌報導指出，柚子本身有含和人參一樣強的抗癌活性，對子宮頸癌細胞的抑制率，高達70％至90％。

梨

梨的營養成分有蛋白質、脂肪、碳水化合物、硫胺素、核黃素、尼克酸、蘋果酸、檸檬酸、果糖、蔗糖、葡萄精、維生素B1、B2、C等有機成分。尚含鉀、鈉、鈣、鎂、硒、鐵、錳等礦物質及膳食纖維。

酪梨

酪梨因為濃郁的香味而有「森林奶油」的美稱，它含有蛋白質、維生素B群‧E與膳食纖維等營養，酪梨的維生素E具抗氧化作用。

紅龍果

紅龍果果肉糖度高，食用時具特有風味，含有豐富的維生素B1‧B2‧B3‧C、纖維素、胡蘿蔔素、鈣、磷、鐵等營養。

百香果

百香果含有維生素A‧B1‧B2‧C、有機酸、枸櫞酸，其維生素C不僅含量相當高，且安定性佳，不易因為氧化而流失。

梅子

梅子的主要成分有檸檬酸之類的有機酸，鈣、鐵、磷等多量礦物質，以及蛋白質等。檸檬酸可以消除疲勞並防止老化，還能避免血液中屯積乳酸，所以可以預防肩膀痠痛、腰痛或頭痛。檸檬酸與鈣質結合後，能強化骨骼，促進鐵質吸收，促進全身血液循環。可以將癌症、高血壓等病患的酸性體質恢復成健康的弱鹼性。

✿蔬菜✿

■ 根莖類

蘆筍

蘆筍富含β-胡蘿蔔素、鐵、維生素C‧E，是很好的抗氧化食物，也是防癌聖品。此外，蘆筍的蛋白質含量也很高，有九種必需胺基酸，其中所含的天門冬醯胺酸，在體內氮的代謝作用中，居重要地位，所以，蘆筍具有良好的消除疲勞功效。新鮮的蘆筍並含具有造血作用的葉酸及鐵質，可預防貧血。此外，蘆筍亦含有豐富的鈣、磷、鎂、鉀、纖維、糖質、脂質，常吃有安神、解毒、強身、防治高血壓、促進新陳代謝的作用。

馬鈴薯

又名洋芋的馬鈴薯，被美國營養學家推崇為「十全十美」的食物，在法國更有「地下的蘋果」美譽。馬鈴薯含有豐富的維生素及礦物

質，如維生素C．B群、鉀、鐵和八種人體必需胺基酸；最特殊之處是它的維生素C被澱粉包住而不會受熱破壞。

山藥

山藥又名山芋、淮山，含有高量的水分、蛋白質、脂肪、鈣、磷、鐵、澱粉、維生素B、C等營養素。中醫認為山藥有健脾、補肺、固腎、益精的功效，並且還能滋養美顏，是中菜經常使用的補益藥材。山藥最大的特點是含有可以分解酵素的澱粉酶酵素及澱粉液化酶的糖質分解酵素，以及過氧化酶所具有的解毒作用的氧化還原酵素，因此不但可以生食，吃得再多也不會造成胃滯。

番薯

番薯的主要成分為碳水化合物，以及蔗糖、果糖、葡萄糖等能源，它的維生素含量也非常驚人，黃色番薯還含有具抗癌效果的 β 胡蘿蔔素。此外，番薯的膳食纖維可以清除腸內廢物，改善便秘，並將膽固醇排出體外，預防大腸癌或動脈硬化，它還含有天然雌激素，能延緩老化。

胡蘿蔔、白蘿蔔

胡蘿蔔因為含有防癌的胡蘿蔔素，近幾年非常受歡迎。它還含維生素A．C、蔗糖、葡萄糖、澱粉，以及鈣、磷、鐵、氟、錳、鈷等礦物質。胡蘿蔔素食用後會轉化為維生素A，對修復黏膜組織很有助益。人的皮膚、眼睛、氣管和肺臟等都有黏膜組織，所以常吃胡蘿蔔可以強化視力，改善貧血，保持人體表皮細胞。白蘿蔔含維生素C比一般水果還多，而維生素A．B以及鈣、磷、鐵也較豐富。蘿蔔中還有一種澱粉酶，有助於消化。

洋蔥

洋蔥含有多種維生素、礦物質及植化物，它的某些特殊成分讓中醫認為有清熱、化痰、解毒、殺菌的功效；而現代西醫則已將之列為治療心血管疾病的藥物。洋蔥本身含有維生素B1，並含有烯丙基硫醚，可提高B1在體內的吸收率，同時可促進利尿出與出汗的作用，可說是很好的解毒食物。洋蔥中所含的咖啡酸、芥子酸、檸檬酸鹽、檞皮素等成分，可提高腸胃道張力、增加消化道的分泌作用；其所含豐富的微量元素硒可提高抗癌作用；半胱氨酸是抗衰老物質，能夠延緩細胞的老化；環蒜氨酸和含硫化合物可降膽固醇、血脂肪、促進鈉鹽排泄，對高脂血症及冠新病、高血壓都有優異的療效。

百合

百合的蛋白質含量相當高，亦含有豐富的脂肪、還原糖、澱粉及多種維生素，「本草綱目」記載，百合可以潤肺、止咳、養心安神、止血止痛，而含量豐富的葡萄糖也有助於消化。

蓮藕

蓮藕既可生食，也可熟食，富含澱粉、多種維生素和蛋白質、鈣、鐵、磷礦物質。而蓮子也是很好的補品，具有清血、散淤、益胃、安神的作用。

菱角

菱角為高碳水化合物低脂肪食品，並含有豐富的鈣、鐵、磷、維生素等營養，容易消化吸收，具有健脾養胃、補腎養血之功效。

牛蒡

牛蒡含豐富蛋白質、脂肪、纖維、鈣、磷、鐵、鉀、維生素B．C，由於特殊成分富含菊糖，常吃有助於增進體力。

■ 瓜果類

番茄

亦果亦蔬的番茄含有豐富的維生素及礦物質，而其中的菸鹼酸含量機為蔬果之冠。至於維生素C的含量並不高，但是由於其所含的各種有機酸、抗壞血酸有保護維生素C的作用，因此貯存及加熱烹調都不會被破壞。

番茄中的各種有機酸可消除體內造成疲勞的物質，且有助脂肪分解、促進消化，而其中的維生素B6亦可促進蛋白質及脂肪消化。番茄中還有許多具有療效的成分：類黃酮物質有止血、降壓、利尿的作用；番茄紅素是強力的抗氧化物質；維生素P有強化微血管的作用；穀胱甘肽有延緩細胞老化、抗癌的效果；穀胺酸及胺基鈉酸能活化腦細胞，有健腦益智的作用。

南瓜

南瓜含極高的水分、碳水化合物、蛋白質、纖維素、鈣、磷、鐵，維生素A、B、C的含量亦頗豐富，是一種營養相當完全的食物。南瓜因含葡萄糖、戊聚糖、甘露醇等多種糖類，因此果肉特別鮮美甘甜。

苦瓜

苦瓜含有苦瓜苦味素、多種胺基酸、果膠、維生素B1．B2．C、胡蘿蔔素，與鈣、磷、鐵等礦物質。種子含 α、β 苦瓜素、蛋白質，脂肪酸等。苦瓜汁中含有類奎寧的蛋白質，能刺激體內免疫系統，增強巨噬細胞的吞噬能力，且苦瓜素是一種效力極強的防癌物質，在實驗中，確認可抑制腫瘤細胞的生長。

小黃瓜

小黃瓜含有的礦物質、維生素量雖然不高，但是高達97%的水分和豐富的鉀鹽有利尿、解毒、清熱、防治膀胱炎的作用。其所含的丙醇乙酸成分有抑制糖份轉化為脂質的作用，因此可

視為不錯的減肥食物。實驗中發現，黃瓜的細纖維素具有促進腸道中腐敗物質排出，以及降低膽固醇的作用，而新鮮黃瓜皮中所含綠原酸和咖啡酸可以使人體產生消炎抗菌和刺激強化白血球吞噬功能。

茄子

茄子和甜椒、番茄一樣，也屬於茄科家族。它含蛋白質、脂肪、鈣、磷以及維生素B、C、P，茄子纖維中含皂草甘。茄子中所含的皂草甘具有降低血液膽固醇的效能；其所富含的維生素P，能增強機體細胞間的黏著力和毛細血管的彈性，減低毛細血管的堅韌性及滲透性，防止微細血管破裂出血，並有防止血管粥狀硬化及防治高血壓的特殊功能。茄子中還含有龍葵鹼，它能抑制消化道腫瘤細胞的增殖，特別對胃癌、直腸癌有抑制作用。一些接受化療的癌症患者出現發熱時，用茄子煮熟後涼拌吃，有退熱功效。

甜椒

甜椒有綠、黃、紅、橙、紫等不同顏色，營養成分大致相同，皆含高量水分及蛋白質、脂質、醣質、纖維、鈣、磷、鐵、維生素A、B、C等營養素，尤其維生素C含量相當高，並含有防止維生素C氧化的維生素P。

玉米

玉米被稱為黃蔬菜，主要成分是澱粉質，維生素B1、B2、E與卵磷脂的含量也很多，是營養豐富的蔬菜兼主食。玉米胚芽中含有豐富的亞油酸、穀胺酸。穀胺酸可以提供大腦所需能量的胺基酸，而維生素E能抗老化。

秋葵

秋葵獨特的黏液質，能解除便秘或暑熱病，除了整腸的功效，還可降血壓、減少膽固醇積存，可說是深具養生功能的蔬菜。它的營養還包括胡蘿蔔素、鈣、鐵等。

■ 葉菜類

藍中所含
及十二指
織加以修
質的特殊

素
血壓、

波菜
波菜含有蛋白質
分、鈣、磷、鐵、胡蘿
酸、抗壞血酸等，除富含
物質外，含蛋白質也較高，是

青花椰菜、白花椰菜

花椰菜屬十字花科甘藍類蔬菜，含有纖維質、鈣、磷、鐵、鉀、硒、葉酸、維生素A‧B1‧B2‧C等營養。它還含有吲哚化合物等強力抗癌物質，以及令人體的細胞製造酵素，以增強與癌病對抗的能力的蘿蔔硫素。它亦含有豐富的β胡蘿蔔素，有助防止細胞膜受到自由基的破壞。維生素C，有助增強人體的免疫力。常吃青花椰菜可降低肺癌、大腸癌、直癌等的發生機率，而青花椰菜效果比白色花椰菜佳。

芹菜

芹菜中含有蛋白質、碳水化合物、維生素及礦物質，其中磷和鈣的含量較高。常吃芹菜對高血壓、血管硬化、神經衰弱有輔助治療作用。西洋芹的莖寬而厚，肉質爽脆可口，是生菜沙拉中常用的材料。營養價值很高，不僅含豐富的蛋白質、鈣、磷、鉀、鐵、維生素P、胡蘿蔔素、維生素、糖類等成分，且因熱量低、纖維高，常吃對於高膽固醇及肥胖有極佳的防治效果。

脂肪、碳水化合物、粗纖維、灰
蔔素、硫胺素、核黃素、菸鹼
維生素B、C、D及數種礦
營養價值極高的蔬菜。

芥菜

芥菜屬於十字花科植物，含有抗癌的化合物，其中含有可消除強力雌激素的作用的成分，以避免腫瘤受刺激而生長。芥菜還含有β胡蘿蔔素與維生素C，可預防多種癌症和心臟病。

空心菜

空心菜中粗纖維含量豐富，由纖維素、木質素、黑膠等組成，促進腸道蠕動、通便解毒。黑膠能使體內有毒物質加速排泄，木質素能提高巨噬細胞吞食細菌的活力，有殺菌作用。它還含有維生素A，能抑制某些致癌物的活性，甚至逆轉致癌物質所造成的損害。

地瓜葉

地瓜葉含有豐富的維生素、葉綠素、礦物質、纖維素、單寧等，這些營養可以去除血液中三酸甘油脂，所以除了減肥效果，此外又可降膽固醇，具有防治高血壓功效。

莧菜

莧菜含蛋白質、脂肪、粗纖維、胡蘿蔔素、維生素B1‧B2‧C、鈣、磷、鐵、鉀、鈉、鎂等。其含鐵量為菠菜1倍，鈣含量則是3倍，且不含草酸，所含鈣、鐵進入人體後很容易被吸收及利用。

大白菜

大白菜是十字花科植物。 現代醫學研究指出，包心白菜含有豐富的維生素C，與微量的鋅、錳、銅等元素，可促進幼兒生長發育及男性精子活力，促進外傷癒合，另外還有抗癌、抗心血管疾病、糖尿病及抗衰老的作用。

小白菜

小白菜是蔬菜中含礦物質和維生素最豐富的菜。小白菜所含的鈣是大白菜的4倍，含維生素C約是大白菜的3倍多，含有胡蘿蔔素是大白菜的74倍。此外，還含有蛋白質、脂肪、磷、鐵、硫胺素、核黃素、尼克酸等。小白菜中所含的礦物質能夠促進骨骼的發育，加速人體的新陳代謝和增強機體的造血功能，胡蘿蔔素、菸鹼酸等營養成分，也是維持生命活動的重要物質。

青江菜

青江菜也屬於具抗癌效果的十字花科植物。含鈣、鐵、鉀、鋅、維生素A、B1、B2、C、E、B胡蘿蔔素、葉綠素、食物纖維等營養。

茼蒿

茼蒿的莖和葉可以同食，蛋白質、脂肪、醣質、纖維素、鈣、磷、鐵、維生素A·B1·B2·C、菸鹼酸等一般營養成分無所不備，尤其胡蘿蔔素的含量超過一般蔬菜。茼蒿還含有一種揮發性的精油以及膽鹼等物質，因此具有開胃健脾、降壓補腦等功效。

蘆薈

係多年生肉質植物，它的蘆薈素A及粘稠物質多糖類，具有提高免疫力及抗病毒感染、促進傷口癒合復原的功效。蘆薈抗原經動物實驗確認它具有抗癌作用，有提高人體的抗癌免疫能力。蘆薈中的粘液素有壯身、強精的效果和旺盛精力的作用。粘液類對於防止老化和慢性過敏症患者的治療非常重要。

西洋生菜

西洋生菜的種類很多，屬於菊科萵苣屬植物。如結球萵苣、西生菜、奶油生菜、蘿曼、髮鬚菜、比利時小白菜等。其中最常見的結球萵苣含有豐富的鉀、鈣、鈉、鎂、鐵等礦物質及維生素A、C與蛋白質。萵苣屬蔬菜含高單位維生素A及礦物質，能有效防止老化。

■ 五菜

長蔥

蔥富含維生素B·C、胡蘿蔔素、鈣、必須胺基酸與纖維。蔥綠內側黏液中的多醣體，會凝集體內不正常的細胞，產生抑止效果，可以提升免疫力。

薑

生薑含蛋白質、糖、脂肪及豐富的鐵、鹽、揮發油、薑辣素、天門冬素、谷胺酸、絲胺酸、甘胺酸和澱粉等。其中薑辣素對心臟及血管有刺激作用，能使心跳加快，血管擴張，血液流動加速。使身體產生溫熱的感覺，同時排出汗液，而且能將病素排出體外。所以民間常用生薑湯治受風寒引起的傷風感冒。

大蒜

大蒜含有蛋白質、脂防、糖、維生素B·C，以及鈣、磷、鐵等礦物質。大蒜的藥用功能，主要在於大蒜素，它有強烈的殺菌作用，而且還有抗癌作用，有可能減少各種癌症如胃癌、食道癌、大腸癌、乳腺癌、卵巢癌、胰腺癌等發病率。

青蒜

常吃青蒜可以強腎補氣，對口腔及食道殺菌功能佳，適量食用可預防喉嚨發炎與感冒，且青蒜富含的鋅，是人體不可或缺的營養素。

韭菜

韭菜中含有豐富的胡蘿蔔素與維生素C，以及蛋白質、脂肪、碳水化合物、鈣、磷、鐵等。醫學研究證明，韭菜除了含較多的纖維素，能增強腸胃蠕動，對預防腸癌有極好的效果外，也含有揮發性精油及含硫化合物，更具降低血脂的作用，所以食用韭菜對高血脂及冠心病患者也頗有好處。

■ 芽菜

當種子發芽時，會產生巨大的變化，使原有的維生素、礦物質、蛋白質變得加倍豐富，並且容易被人的腸胃吸收。

芽菜含有極高的營養價值，它的蛋白質含量遠超過各種肉類，15公克的芽菜蛋白質等於60公克的肉類蛋白。它不僅含有粗蛋白和胺基酸，還含有鐵、鈣、鉀等礦物質及維生素。其中維生素C的含量非常多，加上幾乎不含脂肪、糖份、澱粉，可降低血壓和防止癌症、糖尿病，加強體力和耐力。對於預防皮膚粗糙、長黑斑和頭髮分叉、便秘、貧血、肥胖等，有非常良好的效果，是十分理想的自然食品。

芽菜的另一特點是它的栽培過程完全不使用農藥、化肥，只需乾淨的泥碳土和純淨的水就可以，所以是一種不會造成污染、無公害，而且很容易栽培，並且方便食用的健康蔬菜。青花椰菜芽是目前新流行的芽菜，青花椰菜在芽菜狀態下，抗癌成分最高。

一般常見的芽菜：

青花椰菜芽：含維生素A·B1·B2·C、鈣、磷、鐵、鉀、硒、葉酸

苜蓿芽：所含蛋白質是玉米或小麥的1.5倍，尚有維生素A·B群·C·D·E·泛酸、菸鹼酸、礦物質、鐵、磷、鈣及八種酵素

蕎麥芽：含有豐富的蛋白質、維生素B1‧B2、磷、鉀、鎂等

蘿蔔嬰：含維生素A‧B1‧C、鐵、磷

小麥芽：含維生素A‧B‧C‧E、多種礦物質

綠豆芽：含維生素A‧B‧C‧E

葵花苗：含維生素B6‧E、鈣、鋅

豌豆苗：豌豆苗含有豐富的蛋白質、維生素A、B群、C、鐵、鈣、鉀、鎂

紅豆苗：胺基酸、維生素B、鉀

黃豆芽：含胡蘿蔔素、維生素B1‧B2‧C、鈣、磷、鐵

■ 豆類

大豆

大豆含有蛋白質、脂肪、鐵、磷、鈣以及維生素A‧B‧C等，其中所含鐵質不僅多，而且容易被人體所吸收利用，常吃大豆對缺鐵性貧血有治療作用。大豆中存在著一種叫做異黃素（isoflavones）的植物營養素，能降低人體中膽固醇含量，進而預防心臟病。而且，大豆所含之異黃素，能自然製造出植物性雌激素，分別扮演著雌激素和抗雌激素的角色，它們能緩和更年期後因荷爾蒙分泌減少所引起的症狀，並對所有與荷爾蒙有關的癌症有顯著的影響。不僅如此，異黃素中所含的genistein營養素亦被證實能有效抑制癌細胞成長與擴散的作用。異黃素並能作為一種抗氧化劑，在自由基使DNA突變為癌細胞之前就毀滅它們。

毛豆

毛豆營養價值與成熟大豆略有不同，主要是毛豆鮮種仁含有極高的水份，因此蛋白質含量或脂質含量略低，但醣類則比成熟大豆為高。而毛豆的營養成分，主要含有豐富的蛋白質、油脂、纖維素、半纖維素、醣類、粗纖維等營養成分。尤其是蛋白質不但含量高，且品質優良，尤其含有8種人體所必需胺基酸，這些是大多數穀類食品中所缺乏或含量較少的胺基酸，為植物食物中唯一含有完全蛋白質的食物。至於礦物質成分則包含了鐵、鉀、鈣、磷、鎂、錳、鋅、銅等，其中鐵質不但比穀類或其他豆類多，且容易被吸收利用。另外，毛豆的灰分呈鹼性，與其他穀類或肉類呈酸性明顯不同，有利於腸胃的消化與吸收。

黑豆

黑豆含粗蛋白質約34%，其中以丙氨酸、麩氯酸、精氨酸等胺基酸含量較高。總糖量為28%，以蔗糖、葡萄糖及果糖居多。脂肪含量達18%。灰分含量約4.5~5.0%，粗纖維5%。故黑豆為很好的健康食品。此外，黑豆含有多量的植物固醇、皂素和一些可延緩人體機能老化的微量元素。同時，黑豆含豐富的抗氧化物質如類黃酮類和維生素E，可抑制脂質及低密度脂蛋白的氧化，進而對心臟血管有保護效果。

綠豆

綠豆含豐富蛋白質且易被人體消化吸收，大量食用後

不會產生脹氣。綠豆芽則含豐富維生素C及礦物質，經常食用，可降低高血壓及膽固醇，尤其維生素B17，為乾種子之30倍之多，多食可預防癌症。

紅豆

紅豆種子含有蛋白質、脂肪、澱粉及多種胺基酸和維生素，其中胺基酸及維生素B含量在各種豆類中為最高。至於礦物元素中，以鉀之含量較多，另外，種子內含有一種皂鹼，有健胃、生津、去濕、益氣、利尿、消腫及解毒等功能，為良好的藥用及健康食品。

豌豆

豌豆含有維生素C、β胡蘿蔔素以及鐵質。此外，豌豆還是纖維質和鉀質的極佳來源。維生素C可增強對感染病的抵抗力，而且可幫助預防某些癌症；β胡蘿蔔素可預防多種癌症與心臟病。豌豆的豌豆素具有一定的抗癌活性及抗霉菌作用。

■ 菇類

菇類食物是屬於可供食用的真菌，不論古今中外，菇類皆因其獨特的鮮美滋味而普受喜愛。現代科學發現菇類幾乎擁有全部人體所有必需胺基酸，並且含有干擾素誘發物，有增強免疫機能、抗癌防癌的作用，以及調節機體代謝、安神活血、補益滋養之效。

香菇

香菇是一種高蛋白、低脂肪的食用菌，含有人體必需的胺基酸，大量的亞麻油酸和大量的鈣、鐵、錳等造血物質，還含有一般蔬菜所缺乏的維生素D原，它被人體吸收後，受陽光照射，能轉變為維生素D，可增強人體的抵抗能力。

蘑菇

富含蛋白質、維生素B群、維生素C、D、E、K、葉酸、泛酸及礦物質鈣、磷、鐵等營養成分，還有豐富的醣類膳食纖維，適量食用可以消除疲勞、幫助消化、改善體質，尤其蘑菇所含的多醣類，具有抗癌防癌的功效，適合各種癌症患者做為補養的天然食品。

鴻禧菇

含鐵質、膳食纖維、胺基酸、維生素及硒，具有抗氧化、抗老化及抗癌之效。

金針菇

金針菇成分中富含多醣類，具有防止動脈硬化的功效，以及具有良好抗癌效果，所含的粗纖維可促進腸胃蠕動，對防治便秘與肥胖甚有功效。

秀珍菇

蛋白質、礦物質元素含量高，含有人體必需的八種氨

基酸，有降血壓、預防動脈硬化，對肝炎、胃潰瘍、十二指腸潰瘍、慢性胃炎及腫瘤有效。

■ 海藻

海藻是海洋中的寶藏，除了含有豐富的維生素A、B1、B2、鈣、鉀、鐵、鋅、銅、碘等重要營養素之外，亦含有大量葉綠素，可助人體排毒、清血、造血。此外，海藻還含有藻朊酸可促進大腸蠕動、防止便秘；氨基乙磺酸對視力保健、神經調節有重要功能，且可預防動脈硬化，有助防治心臟病。

螺旋藻

藻類大約在30億年前就開始出現在原始海洋中，是地球上最古老的生物之一；經過不斷的突變、分化，產生了各式各樣的藻類，有紫菜、海帶等大型藻類，也有綠藻、螺旋藻等水母型藻類。從色澤上區分，則有紅藻、綠藻、褐藻、藍藻，螺旋藻即屬於藍藻類。

螺旋藻在所有藻類中的營養價值更是出類拔萃，它不但是 β 胡蘿蔔素含量最高的食物，並含有大量的SOD，這二者均是強力的抗氧化劑，可為人體去除導致老化、慢性病的自由基。

螺旋藻的蛋白質含量亦令人驚嘆，不僅高達70%-80%，為大豆的2倍、牛肉的3.5倍，而且含有優異的八種必需胺基酸，因其蛋白分子極小，非常易於為人體所消化、吸收。

螺旋藻也可說是維生素、礦物質的儲藏庫，其所含豐富的維生素A、B6、鋅、鐵，能幫助人體增強T細胞、N、K細胞、巨噬細胞對癌細胞的攻擊力，並提高對細菌、病毒感染的抵抗力；其所蘊藏的豐富葉綠素及葉紅素，有加強干擾素的抗癌作用；維生素E、K與葉綠素則為成長促進因子，其細胞中含核酸高達4.25%；更特別的是，它還含有一般植物性所沒有的B12，一般海藻所擁有的鈣、鉀當然是更不虞匱乏。

螺旋藻更可貴的是它的細胞壁非常薄，營養素很容易在消化道中為人體所吸收利用，對不論男、女、老、幼，未病或已病的人而言，均是理想的營養補充品。

馬尾藻

馬尾藻屬於褐藻的一種，馬尾藻的褐藻聚醣，能抑制腫瘤及增強免疫抗體機能；褐藻酸是褐藻細胞壁的主要成分，其抗癌活性，和所含的甘露糖醛酸及古羅糖醛酸成分有關。有人認為海藻聚醣的抗癌機轉可能和吞噬細胞及干擾素活性增強有關，因而間接地誘發細胞蛋白質的免疫反應及影響淋巴細胞的活性。

✂ 肉類 ✂

牛肉

牛肉味甘性溫，營養豐富，蛋白質含量比豬肉高一倍，而且種類齊全，有補中益氣、健脾養胃、強筋健骨之功效。牛肉另一特點是低脂肪，這在肉類中是突出優點，它的脂肪含量比豬肉低5倍，而且膽固醇含量低，胺基酸豐富全面，維生素、微量元素也不少，因此強身健體功效顯著而且對高血壓，冠心病患者也較安全。同時，牛肉含豐富的鋅及磷質，有助細胞分裂和修補身體組織。牛筋含有豐富的膠質能夠益氣養血、補肝強筋。

豬肉

豬肉營養豐富又易消化，是國人攝取動物性蛋白質的主要來源。豬肉中含有蛋白質、脂肪，還有各種維生素及微量元素。豬肉的鐵和鋅含量也高，鐵的攝取避免貧血的發生，而鋅則提高免疫能力。除營養分高以外，豬的各個部位都應用在各種烹調方式中，例如豬肝、豬腸、大骨、胝骨與排骨都是營養又美味的食材。

鴨肉、雞肉

鴨肉含蛋白質、脂肪、少量碳水化合物、無機鹽、菸鹼酸、鈣、磷、鐵和維生素 B1、維生素 B2 等。鴨肉中含飽和脂肪酸比豬肉、牛肉、羊肉均少得多，食入飽和脂肪酸多了，會形成動脈粥樣硬化。同時，鴨肉含膽固醇比一般魚肉還低。雞肉含蛋白質、脂肪、維生素A．B群、菸鹼酸等營養。雞與鴨是人們常吃的佳餚，都是營養價值很高的食品。但由於兩者性味功用有所不同，故應有選擇地吃。雞性溫，具有畏寒虛弱症狀的人適宜吃雞肉；有火熱症狀時則不宜吃。鴨性寒，一般認為體內有熱，有火的人宜吃鴨肉；體質虛寒或受涼時則不吃為好。

⤜海鮮⤛

根據食品科學分析發現,魚貝類含有豐富的蛋白質,蛋白質組織中所含纖維較短且結締組織較少,容易被人體消化吸收。另外,魚貝類的脂肪含量比其他肉類低了許多,而且大部份是不飽和脂肪酸,具有降低血膽固醇的作用。魚油中還含有 EPA 成分,可減緩血液凝固時間,預防心血管疾病。

魚

魚類具有能活化身體與頭腦的 EPA、DHA 或牛磺酸,以及蛋白質、脂肪、鈣、鐵、維生素等營養,它們的蛋白質含有人體需要的九種必需胺基酸,是極佳的蛋白質來源,多吃魚可以修補人體細胞。小魚具有強化骨骼、穩定精神的豐富鈣質,是最佳鈣質來源。鮭魚富含維生素 B2、D、E、蛋白質、脂肪;鱈魚富含蛋白質、維生素 D、A、B2、鈣;且魚類蛋白質容易消化吸收,可多選用。

蝦

含有的維生素 A 極高,同時,蛋白質含量比瘦豬肉瘦肉高 20%,但脂肪含量卻比其少 40%,所以,是一項高蛋白、低脂肪的健康營養食品。適時、適量、均衡食用,對健康甚有助益。

蛤蜊

蛤蜊不僅味道鮮美,而且營養也比較全面,實屬物美價廉的海產。它含有蛋白質、脂肪、碳水化合物、鐵、鈣、磷、碘、維生素、胺基酸和牛黃酸等多種成分,是一種低熱能、高蛋白、低膽固醇食材。

海參

海參含蛋白質、膠質、碘、鈣、鐵、磷等,豐富的膠質最能補充體力,有補腎、滋陰、壯陽、潤燥的功效。

牡蠣

牡蠣富含蛋白質與鋅,鋅可以降低傷口的感染,加速傷口的癒合,而且可以促進身體的免疫能力、預防感冒。加上鋅也能促進蛋白質的生長合成,因此能增強體力、恢復精神。

蜆

蜆富含維生素 B2、B12、鈣、鐵,可補足受損肝細胞。蜆還含有豐富的膽鹼 (Choline),膽鹼對於胎兒與新生兒腦部發育影響極為重要,對中老年人的預防智力退化也具有功效。

淡菜

淡菜的營養價值極高，含蛋白質、鈣、磷、鐵、核黃素等。還含有鋅、錳、及肝糖元，其所含肝糖元可促進人體的新陳代謝。淡菜所含脂肪主要是不飽和脂肪酸，同時，亞麻酸、亞油酸的含量也高，有效改善心血管功能。

中藥材

黃耆

黃耆是中醫最廣泛使用的藥材，性味甘溫，入脾經與肺經，故能補益脾胃、呼吸。黃耆主要含有蔗糖、葡萄糖醛酸、粘液質、胺基酸、苦味素、膽鹼、甜菜鹼、葉酸等。黃耆對心臟有加強收縮作用，也具有擴張血管作用，並能降低高血壓、治療糖尿病、高血脂症、冠狀動脈硬化以及心肌梗塞等症，也證明有利尿作用，有治療尿蛋白的功用，對於腎炎也有相當療效。根據研究得知黃耆具有保護肝臟，並對許多種細菌有抗菌之作用。

當歸

當歸是中醫最常用的藥物之一，在25種使用頻率最高的中藥方裏，它排名第八位。當歸有補血活血，調經止痛，通便的作用。就科學的分析而言，當歸含有揮發油、亞葉酸、煙鹼酸、蔗糖及維生素 B 12 等成份。據藥理證明，當歸可抗惡性貧血，防止流產及興奮子宮肌的收縮，同時能增強免疫能力、鎮痛、鎮靜，並能保護肝臟。

大棗

大棗是很常見的補氣養血藥材，可以讓人氣色紅潤。富含皂甘、生物鹼、黃酮、胺基酸、糖類、鈣、磷、鎂、鐵、鉀及維生素等成分，能保肝、降低膽固醇並抑制癌細胞增殖。精神緊張、心中煩亂、睡眠不寧的更年期婦女，不妨在湯品中加入一些紅棗，因為它有鎮靜作用。平常如果生活緊張的人，也可多多食用。

枸杞

枸杞是食補中的常客，研究證實它能促進並調節免疫功能、保肝和抗衰老。它含有甜菜鹼、胡蘿蔔素、維生素B1‧B2‧C、菸鹼酸、鈣、磷、鐵等，可以在各種料理中多加運用。

芡實

有健脾止瀉及補腎作用。屬性較為平和，可當食材運用於日常生活，一般人都可以食用，如體質特別燥熱便秘者則不宜。

薏仁

薏仁的營養價值高，為禾穀類作物中含蛋白質（13~16%）及脂肪（9%）豐富的穀類，又對人體具有特殊的生理調節機能，故自古以來不僅被用做滋養強壯劑，亦為漢藥方的重要材料。 本草綱目謂「薏苡仁，益胃健脾、治水腫濕痺、腳氣疝氣、泄痢熱淋、補肺清熱、治風熱筋急拘攣」。在中國和日本的民間療法中，薏仁被認為具有健脾、益胃、利尿、消炎和抗腫瘤等功效。在近代醫學報告上，已證實薏仁中含有抗腫瘤的薏仁脂（coixenolide 38H70O4），降血糖的水溶性多醣（coixans），可消炎、抗過敏的含酚類化合物（ benzo-xazinoids），新的抗菌物質（coixindens）。

杜仲

杜仲可補肝腎，故有強筋骨的功效，常用於肝腎不足、腰膝酸痛乏力等症。

貝母

能潤燥化痰，鎮咳祛痰。對慢性氣管炎、急性上呼吸道、咽喉腫痛、肺氣腫有療效。

白果

白果種子含蛋白質、脂肪、澱粉、氰甘、維生素及多種胺基酸；外種皮含有毒成份白果酸、氫化白果酸、白果酚、白果醇等，要將外皮去除乾淨。

❧核果❧

堅果與種子食物包含杏仁、松子、核桃、葵花子、芝麻、腰果、南瓜子、亞麻仁子等，皆含有豐富的植物性蛋白質、人體必需胺基酸、多種維生素和礦物質，是極佳的熱量來源，但不宜吃太多。一般人一日約可食用二湯匙，腸胃消化力較差者。以半湯匙至一湯匙為宜，否則過量攝取不僅會造成消化不良，還易導致肥胖。

杏仁

杏仁維生素E的含量在堅果類中排名第一，能讓人重拾青春。主要成分為脂肪，屬於亞油酸等不飽和脂肪酸，此外，還富含維生素B1．B2、菸鹼酸、鈣與鐵等營養物質。

松子

在中國的古籍中，松子被稱為「長生果」，它的營養成分中，80％為不飽和脂肪酸，並且含有大量礦物質、維生素B1．B2．B6．E等。

核桃

核桃含有大量的優質蛋白和脂肪、亞麻仁油酸，能使血中膽固醇數量保持正常，具

有治療和預防動脈硬化、防止血管老化的作用，因為亞麻仁油酸能使人體新陳代謝的平衡，淨化血液。核桃高量的不飽和脂肪酸，能強化腦血管彈力和促進神經細胞的活力，故被視其為健腦食品。

葵花子

葵花子中含有鈣、鋅、維生素B6‧E，與不飽和脂肪酸。

芝麻

芝麻含有抗氧化的維生素E及硒，是公認的抗衰老食物並可抗癌。鈣、鐵等礦物質和食物纖維的含量也多，有助於醣類的新陳代謝，鈣可以強健骨骼。

腰果

含蛋白質、脂肪、澱粉、糖、鈣、鎂、鉀、鐵和維生素A、B1、B2、B6、亞麻油酸、不飽和脂肪酸等營養。果仁中的油酸可預防動脈硬化、心血管疾病；亞麻油酸則可預防心臟病、腦中風。另外，腰果含豐富維生素A，是優良的抗氧化劑。而且其中的大量蛋白酶抑制劑，能控制癌症病情。

南瓜子

南瓜子含南瓜子氨酸、脂肪油、蛋白質及維生素A、維生素B、維生素C，又含胡蘿蔔素。

亞麻仁子

亞麻仁子含高品質、易消化的完全蛋白質，及維護人體健康的必須胺基酸，這些胺基酸人體無法自行製造，必須從飲食中攝取。亞麻仁子也是纖維質的優良來源，纖維質可軟化糞便，預防便秘，使排便順暢，維護黏膜及大腸的健康。

五穀雜糧

五穀雜糧包括了米、麥與各種雜穀、薏仁食物，例如糙米、小麥、大麥、燕麥、蕎麥、稞麥、小米、高粱、糙薏仁、洋薏仁、紫米、糯米等等。而稻米為五穀之首，是人類約主食，為熱量的來源，提供碳水化合物、蛋白質、脂肪、維生素B群、E與纖維質、礦物質等之營養素。稻米去其粗糠之後，就是糙米，包括有果皮、種皮及脂質較高的糊粉層，另有最重要的胚芽及胚乳部份。胚芽含豐富B群及維生素E，B群為人體內非常重要的維生素，它可促進能量的代謝、提昇自體免疫能力，幫助毒物分解、製造好膽固醇，可以活化肝細胞、預防心臟病。

小米

小米是鹼性穀物，含鎂、B1與胺基酸豐富，可幫助體內鈣質合成，並有舒張血管、平衡血糖功能。

蕎麥

蕎麥子實含有豐富維生素B1、E、膽鹼素、菸鹼酸、泛酸及鉀、鈣、磷、鎂、鐵等礦物質；開花時花及莖葉含有2~3%芸香甘（Rutin），對人體血管具有擴張及強化作用，可防止動脈硬化及高血壓，具有開胃寬腸、下氣消積之效。

∿素食三寶∿

啤酒酵母、小麥胚芽E、卵磷脂被稱為「素食三寶」，其實它們所富含的營養素不僅是素食者所必需，更是每一個人自幼到老皆需要攝取的營養。

三寶的食用法很簡單，每天大約各1-2湯匙，可加在果汁、優格、精力湯、飲用水中調勻飲用；也可撒在生菜沙拉、飯、湯、甜點中併用，但食物溫度勿超過40℃，三者一起食用效果非常優異，和優格搭配更可謂「營養百分百」。與其他的健康食品比較。它們的價格相當低廉，應是人人吃得起的營養品。

啤酒酵母

啤酒酵母是一種單細胞的微生物，看來不起眼，卻含有多種豐富的營養素。啤酒酵母不僅是維生素B群的儲藏庫，亦含有維生素D的前驅物質－麥角醇。

當人體受到陽光中紫外線的照射時，體內的麥角醇就會轉化成維生素D，對於強化骨骼、預防骨質疏鬆症也有一定的貢獻。

此外，酵母中的縮氨酸能夠刺激胃液激素的分，而有提高食慾、促進消化的作用；這種良好的蛋白質對胃腸細胞的再生也頗有助益。

卵磷脂

卵磷脂是構成細胞所不可或缺的物質，如果攝取不足，對健康所造成的影響將既廣且深，腦神經系統、新陳代謝系統、解毒系統等的運作都會受到損害。

卵磷脂蘊含在全身細胞的每一個細胞膜與細胞核當中，尤以腦神經、血液、肝臟等重要組織細包中的含量最豐富。

卵磷脂能幫助體內吸收維生素A、E，若和天然維生素E一起服用，經由維生素E的作用，卵磷脂中的不飽和脂肪酸就會被抑制氧化產生酸化脂質，減緩老化速度與慢性病的生成。

同時，卵磷脂的功能涵蓋身體所有的組織：它可以調整細胞和動脈中的蓄積的膽固醇含量，並溶解、排除多除的膽固醇；它也有強力的乳化劑作用，可將體內脂肪分解成微細小分子，避免脂肪堆積，所以能夠幫助預防高血壓、腦中風、動脈硬化等心血管疾病；它含有「抗脂肪肝因子」的兩種重要物質「膽鹼」和「肌醇」，前者和蛋白質一起作用可防止脂肪肝蓄積，後者則是肌膚和頭髮保持健康的主要物質。

卵磷脂有傳導、刺激神經物質的功能，可預防自律神經失調、神經衰弱、老年癡呆症，並能有效強化記憶力與專注力。最重要的它可以促進細胞的呼吸作用、代謝作用、解毒作用，並提升人體的免疫能力。

小麥胚芽

小麥胚芽含有豐富的人體必需脂肪酸及維生素 E。眾所周知，不飽和脂肪酸在體內結合氧所形成的過氧化脂質，是一種會減低荷爾蒙作用、引起動脈硬化、加速細胞老化的主因之一，而維生素 E 是一種強力的抗氧化劑。小麥胚芽不但有豐富的不飽和脂肪酸，又含有維生素 E 可以保護其中的不飽和脂肪不受氧化。

維生素 E 除了抑制體內氧化脂質的生成，還可防止脂肪褐色素沈澱形成老人斑，並且有促進血液循環、強化血管彈性、幫助脂肪代謝的功能；它還有一項最特別的地方，就是它能增加人體內好膽固醇（HDL）的量，減少壞膽固醇（DLD）的量的量，是心血管組織的健康守護者。維生素 E 最豐富、最天然的來源便是小麥胚芽，它的價格相當低廉，作為日常的營養補充品是再理想不過的了。

其他

可可

研究指出，熱可可含有豐富的抗氧化物質。而且含量比茶及紅酒還要高。許多研究都指出，茶、紅酒及可可中含有可以清除人體內自由基的健康物質。美國康乃爾大學研究人員針對三者含有的抗氧化物質進行測試，結果發現，可可含有的抗氧化物質是一杯紅酒的兩倍、一杯綠茶的三倍、甚至是一杯黑咖啡的五倍。

蜂蜜

蜂蜜的主要成份為葡萄糖和果糖，並含維生素 A·B2·C·D、膽酸、菸酸、葉酸與多種抗氧化物質。

紅糟

紅糟性甘溫，為麴黴科真菌的菌種培育於米飯內發酵而製成。可健脾、活血化瘀，含不飽和脂肪酸有助降低血脂肪與壞膽固醇的作用。

咖哩

咖哩有辛香之味，其中的薑黃素具有殺除癌細胞功能，而印度傳統中也認為吃咖哩可消炎及抗老。咖哩含有具辣味成分的香辛料，它們會刺激唾液或胃液的分泌，進而加速腸胃蠕動引起食慾。並可促進血液循環，達到發汗目的。

味噌

味噌由黃豆經醱酵製成，而黃豆的高營養價值已是眾所皆知。研究中顯示味噌可抑制胃癌的發生，而在動物實驗中也可有效地預防肝癌。黃豆經過醱酵成為味

噌後，更能增強蛋白質的消化及吸收的能力、保留體內年輕的細胞並延緩老化。同時，黃豆即使經由醱酵製成味噌其降低膽固醇的功效亦不會有所改變。

納豆

納豆是在煮熟的大豆裏，接種上納豆菌發酵而成。納豆最引人注目的成分是「納豆激酶」。它是納豆菌發酵大豆而生成的一種蛋白質，具有相當的生理活性作用，為天然的血栓溶解酵素。此外，納豆菌還具有整腸及防止便秘的功效。研究也發現，納豆菌裏含有非常豐富的卵磷脂、以及不飽和脂肪酸。

豆豉

豆豉是大豆的釀造製品。含脂肪、蛋白質、胺基酸、維生素B‧C、鈣、磷、鐵等。豆豉有助消化、延緩衰老、增強腦力、消除疲勞、提高肝臟解毒功能、防治高血壓、預防癌症、提高人體抗病能力等作用。

月桂葉

月桂葉是西式料理中常用的香料，常用在湯、燉菜或肉類和蔬菜料理。月桂葉也是法式料理的基本香料之一，煮高湯時都會加入月桂葉。

檸檬草

又稱「檸檬香茅」，全株散發出檸檬的清香，外觀看起來像芒草。新鮮或乾燥的葉都適合泡茶，口感中淺淡的檸檬香氣，入口清爽，幫助消化。

香菜

香菜含豐富維生素C、鈣、胡蘿蔔素、磷、鎂、鈣等。能夠發汗透滲、芳香健胃、增進食慾、醒胃爽口、消食下氣、驅風散毒。

九層塔

九層塔味辛甘性溫，入肺、脾、胃、大腸經，有疏風散寒、行氣活血、化濕和中、解毒消腫的功效，對風寒性感冒、消化不良、食欲不振、腹脹腹瀉、月經不調等有療效。但氣虛血燥體質者，容易喘、出汗、疲倦無力的人不宜多吃。

金針

金針含纖維、鈣、磷、鐵、維生素A‧B‧C、菸鹼酸。鐵含量是菠菜的20倍、萵苣的10倍，可作補血食物。含多量的鈣和維生素，被認為是健腦食品，也具有安定神經及促進新陳代謝的功效。金針湯可以清肺熱，常被做為利尿及消炎解毒之用。

蛋

蛋可稱得上是營養完整的營養品。蛋白脂肪較少，是肥胖者最佳的蛋白質來源；而蛋黃的脂肪較多，適用於補充體力。

http://www.eurasian.com.tw

HAPPY BODY 035

養生防癌抗癌食譜

作　　者／曹又方・郭月英

發 行 人／簡志忠

出 版 者／如何出版社有限公司

地　　址／台北市南京東路四段50號11樓之1

電　　話／（02）2579-6600（代表號）

傳　　真／（02）2579-0338・2577-3220

郵撥帳號／19423086　如何出版社有限公司

副總編輯／陳秋月

主　　編／曾慧雪

美術編輯／劉婕榆

印務統籌／林永潔

監　　印／高榮祥

校　　對／曹又方・郭月英・曾慧雪

攝　　影／張志銘

圓神出版事業機構法律顧問／蕭雄淋律師

印　　刷／國堡國際公司

2004 年1月　初版

2007 年1月27刷

定價 300 元　　　　　ISBN 957-607-996-9

國家圖書館出版品預行編目資料

養生防癌抗癌食譜 / 曹又方・郭月英著.
-- 初版. --臺北市 :
如何, 2004 [民93]
面；　公分

ISBN 957-607-996-9(平裝)

1.食譜

427.1　　　　　　　　　92021002

書活網 會員擴大募集！

我們很樂意為您的閱讀提供更多的服務，
現在加入書活網會員，不僅免費，還可同享圓神、方智、先覺、究竟、如何
五家出版社的優質閱讀，完全自主您的心靈活動！

會員即享好康驚喜：

◆ 365日，天天購書優惠，10本以上75折。

◆ 會員生日購書禮金100元。

◆ 有質、有量、有多聞的電子報，好消息主動送到面前。

心動絕對不如馬上行動，立刻連結圓神書活網，輕鬆加入會員！

想先訂閱書活電子報！

【光速級】直接上網訂閱最快啦

【風速級】填妥資料傳真：0800-211-206；02-2579-0338

【跑步級】填妥資料請郵差叔叔幫忙寄遞

不論先來後到，我們都立即為您升級！

姓名：_____ ☐想先訂電子報

email（必填·正楷）：_____

本次購買的書是：_____

本次購買的原因是（當然可以複選）：

☐書名 ☐封面設計 ☐推薦人 ☐作者 ☐內容 ☐贈品

☐其他 _____

還有想說的話

_____

_____

服務專線：0800-212-629；0800-212-630轉讀者服務部